# LA MALADIE

## OASIS
### 14

channelé par
**J**Robert

BERGER

D0812995

Pour l'ensemble de nos activités d'édition, nous reconnaissons avoir reçu l'aide financière du gouvernement du Canada par l'entremise du Programme d'Aide au Développement de l'Industrie de l'Édition (PADIÉ) et de la Société de Développement des Entreprises Culturelles du Québec (SODEC) dans le cadre du Programme d'aide aux entreprises du livre et à l'édition spécialisée.

## 14-La maladie

© **Éditions Berger A.C. (format de poche)**
C.P. 48727, CSP Outremont
Montréal (Québec) Canada H2V 4T3
Téléphone : (514) 276-8855 Télécopie : (514) 276-1618
editeur@editionsberger.qc.ca • http://www.editionsberger.qc.ca

Dépôts légaux : 4e trimestre 2001
Bibliothèque nationale du Québec et du Canada
Bibliothèque nationale de Paris
Ministère de l'intérieur de France


ISBN 2-921416-37-9


**Canada : Flammarion**-Socadis, 350, boul. Lebeau,
Saint-Laurent (Québec) Canada H4N 1W6
Téléphone : 514-331-3300; télécopie : 514-745-3282

**France, Belgique : D.G. Diffusion Livres**
Rue Max Planck, C.P. 734, 31683 Labège Cedex France
Téléphone : 05-61-62-70-62; télécopie : 05-61-62-95-53

**Suisse : Servidis SA**, 5 rue des Chaudronniers, Case
postale 3663 CH-1211 Genève 3 Suisse
Téléphone : (022) 960 95 25; télécopie : (022) 776 35 27

Imprimé au Canada
1 2 3 4 5 IT 2005 2004 2003 2002 2001

# La maladie

Nous avons dit aujourd'hui même que certaines Âmes en avaient assez parfois et que les cellules de leurs formes étant d'accord avec elles, cela pouvait se transmettre... Mais ce n'est pas fait de façon volontaire, vous savez. Quel intérêt aurait une Âme à punir une forme ? Aucun. Sinon, vous appelleriez cela du masochisme. Les Entités n'ont pas besoin de cela. Mais c'est vous-mêmes qui vous donnez la santé, comme la maladie et la vieillesse d'ailleurs. L'Âme ne vieillit pas, pas plus que les cellules de vos formes en fait. Mais de façon consciente, vous les vieillissez vous-mêmes. Plus que cela encore, et ce sera nouveau pour vous, comme pour la majorité du monde qui vit sur cette planète déjà... Ce que nous allons vous dévoiler... quelques instants que nous demandions la permission pour le faire... Nous allons en surprendre plusieurs. Ce que vous ignorez sur la maladie et que votre médecine actuelle aussi ignore, sauf certains scientifiques, mais ce sera dévoilé sous peu d'ailleurs, c'est que vous n'avez pas besoin d'avoir une maladie pour la transmettre. C'est vrai pour les cancers, pour le sida et plusieurs autres maladies d'ailleurs. La majorité d'entre elles peuvent se transmettre à distance. Pourquoi croyez-vous que vous n'avez pas encore trouvé de remède efficace contre le cancer ou le sida ? Nous allons vous dire pourquoi : parce qu'il suffit de mettre en présence une personne porteuse de la maladie et des personnes trop ouvertes pour que la maladie se transmette. Pourquoi n'y en a-t-il pas plus, direz-vous ? Parce que plusieurs rejettent la maladie d'un seul trait et que leurs cellules sont déjà programmées pour cela. Combien d'entre vous ont peur de la maladie ? Combien d'entre vous ne veulent pas y penser ? Ceux qui ne veulent pas y penser ont déjà mis la clef dans la porte pour ne pas être affectés. Ceux qui y pensent trop, faites attention, cela s'attrape ! Des études seront bientôt dévoilées ; nous les avons observées. Elles démontrent que, si vous mettez des cellules dans différents contenants transparents, peu importe leur nombre, et que vous placez des cellules malades ou des virus dans un seul de ces contenants, vous verrez les cellules de ce contenant mourir et, peu après, vous verrez mourir les cellules des autres contenants. Sans qu'il y ait contact, les cellules isolées dans chacun des contenants, peu importe leur nombre, des millions si vous voulez, vont toutes mourir les unes après les autres. Si les contenants sont opaques, ce sera plus long. Il y a donc transmission entre les cellules ; cela vous ne le saviez pas ! Nous vous avons dit il y a fort longtemps que les cellules d'une forme communiquaient entre elles et c'est réel, mais nous n'avions pas l'autorisation jusqu'ici de vous dire que cela arrivait aussi entre les formes. Mais vous le saviez tous dans un certain sens. Combien de fois n'avez-vous pas dit d'une autre personne : « Cette personne me rend malade » ? C'est à prendre à la lettre. Si vous étiez restés trop longtemps près de cette personne, vous seriez effectivement devenus malades. Le problème actuel, c'est que dans les hôpitaux on met ensemble les

gens qui ont le cancer. Les cellules cancéreuses sont déjà certaines de leur condition, mais le fait d'être entourées de gens
qui ont déjà le cancer constitue un encou-
ragement ; et elles se détruisent tout de
même. Vous utilisez la chimiothérapie ; ce
traitement rend les cellules amorphes pour
un certain temps ou les déprogramme.
Dans certains cas, il y a eu résultat, mais il
faut comprendre que cela dépend de l'entourage et du milieu où vit l'individu beaucoup plus que du traitement lui-même. Ce
traitement chimique, radioactif pour être
plus exact, a un seul but : faire en sorte que
les cellules perdent leur identité propre.
Lorsque cela se produit, elles ne peuvent
plus communiquer avec les autres. Dans
certains cas, elles se renouvellent ; dans
d'autres, cela augmente la maladie. Si vous
placez dans l'entourage de ces personnes
des gens qui ont déjà le cancer, vous ne
faites que rajouter de l'huile sur le feu. Ces
traitements de choc ont des effets sur les
cellules elles-mêmes. Il faut donc savoir
que les cellules qui étaient en bonne

condition perdent aussi leurs facultés. Cela peut parfois nuire, parfois aider. Les cellules saines qui ont perdu leur identité peuvent se ranger avec les cellules malades. Cela peut aussi stimuler les cellules saines. Toutefois, l'environnement est plus important que le traitement lui-même. Les gens atteints de cancers ont besoin de l'attitude positive de leur entourage. Le niveau d'amour qu'ils recevront constitue un traitement, mais le traitement le plus efficace est dans le rire. Ces maladies ne sont pas terminales, vous savez, la vieillesse non plus. Encore une fois, l'incompréhension est énorme. Ne vous en faites pas, il y a plus de 2000 de vos années, ne vous a-t-il pas été dit qu'il vous fallait renaître pour vivre ? Une connaissance nouvelle et renaître ! Alors il y a de l'espoir. Mais lorsque vous verrez des gens malades, ne les plaignez pas, dites-vous plutôt : « Qu'est-ce qu'ils n'ont pas compris ? » et « Qu'est-ce que j'ai compris pour ne pas être à leur place ? » Vous vous demandez comment aider les gens malades ? Acceptez d'être en santé, n'ayez aucune crainte de les côtoyer d'ailleurs. Vous verrez, ces gens seront attachés à vous et cela va les guérir. Nous pourrions vous parler aussi de vos techniques de médecine alternative. Certaines personnes utilisent les traitements d'énergie, la polarisation ou un autre type de traitement. C'est très bien, mais s'il n'y avait pas la confiance, il n'y aurait aucun résultat. Une autre personne vous dira : « J'ai de très bonnes pilules, elles sont très efficaces même si elles ne sont pas bonnes au goût. » Si la personne en est convaincue, il y aura changement, sinon il ne se passera rien. Un mot encore une fois. Vous avez tous déjà été dans ces établissements que vous appelez les hôpitaux. Ne trouvez-vous pas que les malades sont plus malades lors des visites qu'entre les visites ? C'est simplement pour recevoir de l'affection et de l'amour aux heures de visites ; lorsqu'elles sont seules, elles ont moins besoin d'être malades. Acceptez de croire que les gens qui sont dans ces endroits ont beaucoup plus besoin d'amour qu'autre chose. Encore une fois, nous ne parlons pas de maladies physiques héréditaires ou causées par des nourritures ou par des problèmes de pollution. Nous parlons de ce qui les a conduits à ces endroits, pas du traitement comme tel. Car, voyez-vous, peu importe la maladie, le meilleur traitement est toujours meilleur avant qu'après la maladie, ce que vous appelez prévention. Le traitement préventif s'appelle amour et compréhension de la maladie. Si vous refusez de le comprendre, mieux vaut faire ce que vous appelez vos préarrangements, parce que cela se fera tout de même. Vous avez voulu des formes conscientes, des formes instruites ? C'est ce qu'elles font, elles s'instruisent, et non seulement consciemment mais même inconsciemment, de la conscience elle-même. Cela peut vous paraître embrouillé, mais lorsque vous relirez ces textes, vous comprendrez. Les cellules s'informent à la même vitesse que votre cerveau, mais elles ont plus de mémoire que vous, elles se souviennent de leur début, elles savent aussi comment se renouveler. Donc, elles communiquent entre elles, et ce depuis le début de vos temps. C'est la même chose chez les animaux et les plantes. En voici une preuve. Prenez une plante qui a une maladie, non pas contagieuse au toucher mais présente dans ses racines. Placez une plante identique à ses côtés, sans que les deux plantes se touchent. Vous verrez que, malgré les meilleurs soins, la plante en santé dépérira, pour diverses raisons d'ailleurs, mais cela se fera tout de même. Des questions sur cela jusqu'à présent ? Soyez à l'aise. L'incompréhension de la maladie est fort importante chez vous tous. *(Les colombes, II, 07-07-1990)*

*Pourquoi la maladie vient-elle nous bloquer, nous empêcher d'avancer, soit dans le travail ou avec des personnes ?*

Vous aurez toujours le choix entre la maladie et la santé. D'un côté, il y a les gens qui abusent des nourritures, des drogues, des boissons alcoolisées, et votre pollution

actuelle. Nous ne pouvons empêcher cela.
Comment donner la santé à une personne
qui fait tout ce qu'il ne faut pas ? D'un
autre côté, il y a les gens qui s'étouffent
eux-mêmes, qui se refusent à être heureux
de peur de blesser les autres ou de peur
d'être eux-mêmes, de façon à éloigner ceux
qui croient être aimés d'eux. C'est un autre
type de pollution. Personne ne peut vivre
dans l'ignorance de soi-même. Mettez-
vous de côté et vous mettrez votre forme
de côté. Pensez être limités et vous limi-
terez votre forme. Refusez de croître,
d'être vous-mêmes, et vous refuserez à
votre forme de croître, d'être elle-même.
Tout est interrelié. Il n'y a pas une seule
cellule de vos formes qui ne sache cela.
Actuellement, quand vous pensez à vos
formes, vous pensez en pièces détachées, en
organes, alors qu'il faut penser à l'ensemble
de la forme. Si l'ensemble de la forme n'est
pas maîtrisé par un conscient habile et plus
que conscient de sa réalité, vous vous
penserez en parties séparées et ce seront
des parties de vous-mêmes qui seront

malades. La preuve ? Regardez les formes qui se refusent en entier. Qu'ont-elles ? Des problèmes généralisés. Et qu'est-ce qui peut généraliser le problème d'une forme ? Le système immunitaire. Chez certaines personnes qui s'acceptent en partie, les problèmes se situent au niveau d'organes bien définis. Pourquoi est-ce si difficile à comprendre ? Que vous vous compliquez donc la vie ! Vous avez le droit de vivre et de mourir, mais nous avons toujours dit : vivre, c'est mourir et mourir, c'est vivre. Dites-vous bien qu'il n'y a pas de mort, il n'y a que de la vie. Pensez en ce sens et vous retrouverez une part du bonheur en vous, et c'est cela qui compte. Craignez la maladie et vous l'aurez. Il est beaucoup plus simple de penser son futur en planifiant être heureux qu'en planifiant être malades. Actuellement, tellement de gens occupent leurs pensées à prévenir la maladie qu'ils la créeront. Pensez-y un peu moins, soyez un peu plus vous-mêmes, accordez-vous ce que vous ne vous accordiez pas dans le passé et vous verrez des gens nouveaux à vos côtés et cela fera de vous une personne nouvelle. Il faut s'accepter soi-même pour accepter les autres, pas le contraire. *(L'envol, I, 07–03–1992)*

*Est-ce qu'on serait totalement responsable de nos maladies ?*

Sauf pour les maladies héréditaires et celles transmises de façon biologique.

**Il s'agirait donc de les refuser.**

Mais de façon consciente, non pas par des mots. Vous savez, si vous dites non uniquement, vous ne convaincrez personne. Mais si vous le faites dans la conscience, que vous vous adressez à vos cellules, comme si c'était une foule par exemple, et que vous ressentez cette énergie en vous, qui est la vôtre d'ailleurs, ce sera compris. Mais il faut parfois répéter, pas pour vos cellules mais pour que votre conscient l'assimile et en soit lui-même convaincu. Ne dites-vous pas que la mémoire est une faculté qui oublie ? Il y a des animaux que vous appelez des singes ; vous leur apprenez des tours et ils les font à merveille. Mais lorsque vous les laissez tranquilles quelques heures, ils les oublient vite. Il faut leur réapprendre encore et les récompenser aussi. C'est la même chose pour vos cellules. Vous saurez qu'elles ont compris lorsque vous serez en santé. Vous saurez qu'elles n'ont pas compris, lorsque vous serez malades. C'est que vous ne les aurez pas convaincues, qu'au lieu de croire en vous-mêmes vous aurez cru à vos pensées, à vos problèmes, que vous ne vous serez pas suffisamment aimés dans l'Entité que vous êtes. Voilà ce qui apporte la maladie. Nous vous l'avons dit précédemment : même des cellules en santé placées dans un vase non communiquant mourront lorsque des cellules malades placées à proximité dans un autre vase les auront convaincues qu'elles doivent mourir. C'est la même chose avec vos formes ; vous vieillissez de la même façon. Pourquoi croyez-vous que la science actuelle vous dit : « Le cancer, vous l'avez tous, mais vous ne le développez pas tous. » Vos sciences cherchent toujours, toujours, et pendant ce temps, plusieurs personnes meurent. Certaines doivent mourir, mais d'autres, non. Nous pourrions donner plusieurs exemples de cela. Vous ne pourrez jamais assez imaginer à quel point vous serez toujours ce que vous pensez. Vous êtes toujours des cultivateurs, vous semez constamment mais vous n'attendez rien de la récolte. Vous vous dites : « Très bien, je sème sans y croire. » Mais à force de semer, il arrive qu'une semence croisse, parfois dans la mauvaise direction, parfois dans la bonne direction. Cela dépendra de votre conviction et du ménage que vous aurez fait dans vos idées. Combien de fois les gens n'ont-ils pas dit : « Il ne faut pas penser à la légère. » On vous l'a répété plusieurs fois, à tous. La plupart du temps les gens ne savaient pas pourquoi ils le disaient. C'est comme ceux qui disent : « Les gens me rendent malade, le bruit me tue, mon travail m'étouffe. » Pouvons-nous vous suggérer que c'est ce qui leur arrivera, non seulement pour l'avoir dit, mais pour s'en être convaincus. Parce que les gens qui disent cela ne le disent pas une seule fois, mais toutes les fois qu'ils vont travailler : « J'y vais à reculons. » À ce moment-là, votre forme va aussi à reculons ; vos cellules se disent : « Si cette forme refuse consciemment d'aller de l'avant, d'avoir confiance consciemment, peut-être devrions-nous en faire autant et retarder notre développement ? » Et si vous persistez encore, les cellules des organes défectueux ou plus faibles chez vous vont se dire la même chose. Habituellement, c'est d'abord l'estomac. Vous savez, ces idées ne se digèrent pas bien et donnent ce que vous appelez des ulcères ! Rappelez-vous : vous serez toujours ce que vous pensez. Vous ne digérez pas votre travail, votre estomac ne digérera pas votre nourriture. Pourquoi nourrir une forme qui ne se digère pas elle-même ? C'est valable à tous les niveaux. « Je trouve que la vie ne me gâte pas », « Je n'ai pas assez »... Se pourrait-il que parmi vous plusieurs aient déjà dit cela ? Votre

forme vous en demandera toujours davantage, jusqu'à ce que vous compreniez
qu'être en santé était suffisant pour vous.
Les gens dans les hôpitaux font tous la
même promesse : « J'étais donc bien quand
j'étais en santé ; si je peux recouvrer la
santé, je promets de faire attention. » Ils ne
pensent pas alors aux idées qu'ils ont eues
auparavant. Ils ne voient pas leur forme
comme étant un seul ensemble, mais
comme des parties qui doivent être prises
séparément. C'est une autre erreur de la
médecine actuelle... Ce n'est pas une cri-
tique, du moins en est-ce une constructive ;
il y a une différence ! Lorsque les gens
soignent les organes qui ont une maladie,
ils ne font pas attention à ce qui l'entoure.
Ils vont soigner un foie par certaines pilules
chimiques, mais ces pilules abîmeront les
reins trois ans plus tard ; peu leur importe
pourvu qu'il y ait un résultat immédiat :
production ! Si ce n'est pas assez rapide, ils
trouveront des reins artificiels. Il faut que la
production continue, peu importe ce qui
arrivera : manque de contact. Il n'y a

qu'une seule façon d'opérer des changements, et ce pour toutes les maladies, et
c'est de soigner les cellules qui sont déjà
fortes pour qu'elles puissent non seulement
convaincre, mais restimuler les autres cellules. Cela ne se fait pas autrement que par
conviction. Soignez, renforcissez ce qui
entoure les parties malades et elles
guériront. D'ailleurs, ne dites-vous pas que
l'union fait la force ? C'est la même chose
pour vos cellules. Elles se rendent à l'évi-
dence lorsqu'il y a conviction. Mais pour y
arriver, faut-il que vous rendiez toutes les
cellules de votre corps faibles pour en
guérir quelques-unes ? Pouvons-nous vous
suggérer que, lorsque vous les affaiblissez,
elles pourraient continuer de s'affaiblir ?
Vous employez ce que vous appelez
l'anesthésie générale à défaut d'autres
méthodes actuellement, mais savez-vous
que cela place votre système immunitaire
dans une phase d'inefficacité complète pour
11 à 12 de vos mois ? C'est pour cela qu'ils
vous donnent tant d'antibiotiques, pour
renforcer tous les anticorps de votre forme,

juste au cas où, parce qu'ils savent que s'il y
avait infection, le système immunitaire ne
répondrait pas. C'est aussi pour cela qu'ils
sont pressés de voir les malades sortir des
hôpitaux sitôt après les opérations ; c'est
pour ne pas qu'ils attrapent trop de maladies. Et la roue continue : production !
Ils n'ont pas encore trouvé de moyens efficaces pour contrer cela, ils sont trop
pressés, mais cela viendra. Selon nos observations de la génération actuelle, vos systèmes immunitaires sont généralement
inefficaces après des opérations pour une
période s'échelonnant de 2 à 3 mois, dans
les meilleurs cas, et jusqu'à 16 mois pour les
autres. Certaines personnes auront la
chance de ne pas côtoyer des gens ayant
des maladies transmissibles, mais d'autres
seront constamment chez leur médecin.
Vous avez tous déjà entendu quelqu'un
dire : « Depuis que je suis allé à l'hôpital, je
suis toujours malade. » Ce n'est pas que ces
personnes y ont pris goût, mais plutôt
qu'elles ont été soignées dans l'incompréhension. Nous vous le disons, si vous

soignez, soignez l'ensemble, pas seulement les parties comme vous le faites actuellement. Dans un arbre, vous ne soignez pas une feuille malade en appliquant des crèmes sur la feuille elle-même, mais vous la soignez toujours par les racines. Non pas que vous ne pourriez pas soigner seulement la feuille, mais au cas où l'arbre entier serait malade, vous prévoyez. Vous ne faites pas cela avec vos formes. Des questions ? *(Les colombes, II, 07–07–1990)*

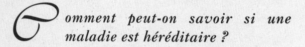

*C*omment peut-on savoir si une maladie est héréditaire ?

Quand une maladie est héréditaire, cela se sait dans vos milieux familiaux. Si ce n'est pas connu, vous pouvez recourir à des tests pour le découvrir. Quand ces maladies sont très graves physiquement, vous avez des traitements chimiques pour les soulager. Dans certains cas, il nous a été donné de percevoir que les maladies remontaient à trois ou quatre générations auparavant. Nous avons vécu cela avec des personnes il

y a un peu plus de deux mois. Il nous a
fallu remonter à trois générations, mais
nous ne pouvons pas faire cela pour toutes
les personnes. Le simple fait de savoir que
c'est génétique peut vous enlever certaines
tensions, mais cela ne veut pas dire que
vous n'en guérirez pas. Vous pouvez très
bien faire l'essai mentionné auparavant
[voir la méthode de guérison par les
couleurs]. Si cela ne fonctionne pas, vous
pourrez vous rendre plus loin. *(Les chercheurs
de vérité, IV, 21–04–1990)*

*J'aimerais savoir si on peut se
débarrasser de certaines maladies
telles que l'asthme, la sinusite et les allergies, sans prendre de médicaments ?*

Si vous en trouvez la cause et que vous
êtes assez intelligente pour cela, oui. Si
vous vous fiez seulement à la médecine,
vous attendrez encore longtemps. La
médecine y parviendra avec les siècles
mais, lorsque ce sera fait, vous aurez
d'autres maladies. Vous souvenez-vous

d'une époque de votre histoire où il n'y avait jamais de maladies ? Il n'y en a pas eu. La maladie vous est nécessaire, car elle sert à vous justifier. Si vous n'aviez pas les maladies pour vous justifier, comment le feriez-vous ? Si vous ne parlez pas, vous ne vous justifierez pas. Votre corps est l'extension de votre pensée. Chez ceux qui ne s'expriment pas, le corps ne s'exprime pas non plus, donc ce n'est plus une forme, c'est un corps. Nuance importante ! De là l'importance de votre façon de penser, surtout ce que vous pensez de vous-même. Vous penserez des autres ce que vous penserez de vous-même d'ailleurs. Donc, vos pensées vont effectivement altérer vos formes et vous n'avez pas besoin d'en être conscients pour que cela se fasse. Dans d'autres sessions, nous allons expliquer comment vos formes fonctionnent, leurs réalités, ce que vous ignorez en majorité actuellement. Vous comprendrez mieux vos agissements, vous comprendrez mieux vos maladies et vous vous comprendrez mieux aussi. Ne vous en

faites pas, vous aurez des réponses à
cela aussi. Cette question est bien posée.
En ce qui concerne les médicaments, ce
n'est pas demain que vous trouverez une
pilule miracle. Par contre, vous pourriez
modifier vos façons de voir la vie, cela
donnerait des résultats. *(Les Âmes en folie, I,
24–04–1991)*

*Pourquoi y a-t-il des enfants qui
viennent au monde malades ?*

Cela peut être transmissible par les parents.
Il y a la génétique, mais il y a plus que cela.
Rappelez-vous que des cellules qui ne sont
pas rattachées ensemble, dans des bocaux
séparés placés à proximité, meurent les
unes à la suite des autres quand un seul des
contenants contient des cellules qui
meurent. Lorsqu'une femme enceinte est
déjà malade, l'enfant n'est pas séparé de la
mère ; il est dans la mère ; il n'est pas dans
un contenant séparé, si vous préférez.
Alors la maladie se transmet de la même
façon. Votre science reconnaît actuelle-

ment et depuis toujours d'ailleurs que la
maladie peut être transmissible par les parents.  Ce que les scientifiques ne savent
pas, c'est que la maladie n'a pas besoin
d'être dans la mère elle-même, qu'elle peut
se produire par le simple fait de côtoyer
trop longtemps des gens malades.  Avec des
personnes faibles, c'est ce qui arrive.  Vous
avez tous vu ce qui arrive à ces gens âgés
dont personne ne veut s'occuper : ils ne
vivent pas plus longtemps, mais ils vieillis-
sent beaucoup plus rapidement.  C'est qu'ils
s'encouragent mutuellement à mourir plus
rapidement.  Comme ils sont convaincus
que personne ne veut d'eux, ils ne veulent
plus d'eux-mêmes.  C'est pour cela que
plusieurs d'entre vous n'aimez pas aller
dans ces endroits où l'on garde les personnes âgées.  Ce n'est pas à cause des
personnes âgées mais à cause de ce que
vous percevez lorsque vous êtes dans ces
endroits. Rappelez-vous, les cellules communiquent.  C'est d'ailleurs très peu différent de ce que vous appelez la télépathie.
Car, n'oubliez pas, votre cerveau est aussi

formé de cellules, sauf que vous l'avez choisi comme porte d'entrée. C'est tout à fait identique à ce que nous venons de vous expliquer. La télépathie n'est rien d'autre que des cellules qui reçoivent des autres cellules. Alors si vous avez dans votre entourage des gens qui ont une maladie et qui sont bien ainsi, nous vous conseillons de refuser cette situation avant d'en être convaincus vous-mêmes, même sans le vouloir. Avez-vous des questions sur ce que nous venons de vous expliquez ? *(Les colombes, II, 07–07–1990)*

*Si la maladie vient par une forme de pensée, est-ce qu'elle peut être produite par le rejet ou des pensées comme cela ?*

Nous avons mentionné, et c'est tout à fait nouveau, que vous pouvez vous donner cela vous-mêmes par la pensée, mais que cela peut aussi être communiqué par d'autres cellules, même si vous n'en êtes pas conscients.

*Quand vous dites qu'on peut se guérir en changeant nos pensées, est-ce que c'est par des techniques de visualisation, de programmation ?*

Surtout.

*M*a question est reliée aux maladies mentales. Quelle est la cause ou les causes de l'autisme ou de la psychose ?*

À laquelle des deux voulez-vous que l'on réponde ?

*À l'autisme, parce que ça fait partie de l'enfance.*

Pour cela, il faudrait prendre des cas séparés. Il y a des enfants qui sont très faibles et très ouverts. Nous ne savons pas tout de vos maladies physiques car nous n'avons jamais eu de formes, comme vous le savez. Nous n'avons jamais observé cette maladie en particulier, ni ce type de maladie. Toutefois, en ce qui a trait aux problèmes psychiques, nous savons qu'ils sont retransmis directement. Ces gens sont comme des portes ouvertes. Ils n'ont aucune protection et prennent sur eux les problèmes des autres, puis ils font en sorte que ce soit leurs problèmes. C'est tout le contraire de guérir, voyez-vous. Ces gens en viennent à avoir peur de tout ce qui les entoure, ils croient que la maladie est surtout pour eux. Nous vous avons parlé de télépathie. Ce n'est pas un jeu, vous savez, même si la démonstration en a été faite en ce sens. En ce qui a trait à la maladie infantile que vous avez mentionnée, il nous faudrait observer un cas, et faire non seulement son analyse mais aussi celle des parents et de leur descendance, pour pouvoir comprendre exactement ce qu'elle est. Toutes les formes de maladies ont la même source, toutes. Pour cela, nous vous suggérons de relire ce que nous venons de dire. Nous sommes certains que vous trouverez les réponses dans le comportement de ces enfants, sinon dans celui des parents, à moins que la maladie ait été transmise de façon génétique. Dans ce cas, vous avez aussi votre réponse. *(Les colombes, II, 07–07–1990)*

*Si j'ai bien compris, une pensée qu'on émet aujourd'hui peut prendre forme dans deux ou trois mois. Par contre, si j'émets une pensée différente dans un mois...*

Tout dépendra du temps que vous aurez mis à faire ces changements inverses.

*Donc, la pensée négative devient plus forte que la positive, tout dépendant du temps qu'on y met ?*

Dans certains cas, c'est vrai. S'il a fallu trois mois pour que votre forme trouve un débouché vers la maladie, un sentier la conduisant dans cette région qu'est la maladie, pouvons-nous vous suggérer qu'il vous faudra encore trois mois pour qu'elle en trouve la sortie et encore trois autres, au moins, pour que cela ne se reproduise plus et cela, dans les meilleurs cas. Ne vaut-il pas mieux une de vos pilules chimiques ? C'est beaucoup plus rapide, n'est-ce pas ? C'est une question.

*Personnellement, je ne crois pas aux pilules chimiques. Je suis bien en santé ; je ne crois pas aux pilules, je me fais confiance.*

Très bien, nous allons donc répondre à cette question nous-mêmes. C'est un piège bien sûr, parce qu'avec vos pilules chimiques, vous réglez parfois le problème mais pas la cause. Si vous avez été assez forte pour vous convaincre d'une maladie quelconque et que vous l'avez eue selon vos pensées, votre forme, dans son intelligence, trouvera une autre façon de vous punir ou de vous récompenser selon votre façon de penser. Vous vouliez une maladie, mais pas celle-ci car elle fait trop mal ? Alors, elle vous en donnera une moins forte, moins douloureuse, mais qui vous donnera le temps de penser à vous. Est-ce plus clair dans ce sens ?

*Oui.*

Personne d'autre ne se soucie de la maladie ? Peut-être est-ce parce que nous vous avons donné trop à penser ? Voici encore deux ou trois mots auxquels penser. Nous pouvons vous dire que la mort physique et la vieillesse sont les mêmes résultats. Dès qu'une personne accepte de vieillir, elle accepte de mourir. C'est pour cela que nous vous avons dit il y a fort longtemps que vos schémas de pensée actuels selon lesquels vivre, c'est mourir et mourir, c'est vivre devraient être vivre pour vivre. C'est comme si vous manquiez d'imagination pour vivre 300 à 400 ans. Plusieurs se disent : « Je trouve déjà très long de vivre 40 de mes années ; la vie est si lourde, pourquoi vivre 400 ans ? » Nous pourrions vous répondre en des termes fort amusants : prenez 40 de vos années de problèmes, répartissez-les sur 400 ans et vous n'aurez pas le souvenir des 40 premières années. Mais n'oubliez pas que, si vous saviez d'avance que vous alliez vivre 400 ans, vous ne seriez pas aussi pressés qu'actuellement. Chose certaine, vous auriez le temps de respirer ! Cela aussi n'a pas encore été compris. *(Les colombes, II, 07–07–1990)*

*Est-ce possible que nous ayons des maladies avant de naître et que ces maladies-là nous aident à avancer, nous aident à évoluer encore plus ?*

Vous savez, il y a des gens qui ont des maladies physiques et qui cherchent à en savoir le pourquoi ; ceux-là progresseront. Mais il y en a d'autres qui ont des maladies et qui sont bien avec cela, parce que des gens vont les aimer et prendre soin d'eux ; ceux-là préféreront avoir des gens qui s'ajustent à eux, qui les comprennent, artificiellement bien sûr, mais tout de même. Il y en a toujours qui demanderont plus et qui donneront moins. La juste mesure dans tout. *(Les colombes, II, 07–07–1990)*

*Est-ce qu'il est possible de guérir d'une maladie héréditaire par la reprogrammation des cellules ?*

Très bonne question. D'après nos observations, il arrive que cela puisse être possible, mais cela demande une foi et une volonté à toute épreuve. Il vous faut convaincre votre forme entière de cette possibilité, ce qui vous demande d'augmenter le taux de vibration de vos formes, donc d'élever vos taux d'énergie de façon volontaire, par vous-mêmes et non par les autres. Cela exige aussi une foi à tout épreuve quant à l'échéance. À ces conditions, cela peut être possible. Mais si quelqu'un arrivait à vous en faire douter et que vous le croyiez, vous n'auriez aucune chance de rémission. Votre forme n'est pas idiote, elle se dirait : « Elle veut cela et nous travaillons dans ce sens et elle ne croit pas en nous. » Donc, elle reviendra à sa formation habituelle. Vos formes sont comme des enfants, encore une fois, n'oubliez pas. Faites faire aux enfants de mauvais exercices, de la mauvaise façon, et ils continueront à les faire de cette façon jusqu'à ce que vous puissiez les convaincre du contraire. Si vous n'habituez pas les enfants à faire leurs besoins ailleurs que dans des couches et que vous leur dites que c'est normal, vous aurez des problèmes lorsqu'ils auront 60 ans pour leur faire croire le contraire, qu'ils peuvent le faire autrement. Plutôt que de montrer à un enfant à marcher, montrez-lui à ramper, puis dites-lui qu'il est possible de se tenir sur ses deux pieds : il ne vous croira pas à moins que vous ne puissiez le lui démontrer. Et si vous lui dites ensuite : « Tu peux quand même avancer à genoux », il recommencera à ramper, car ce sera plus simple pour lui. Vos formes sont identiques. Vous les habituez à un problème qu'elles savent être le leur parce qu'elles ont ce problème depuis la naissance et elles sont convaincues qu'il doit en être ainsi. De leur prouver le contraire, surtout lorsque vous vivez seuls, demande beaucoup de volonté. C'est pour cela que nous vous avions suggéré des modifications au niveau de votre nourriture ; c'était pour que vous puissiez modifier vos propres vibrations vous-mêmes. Nous savions que vous étiez pour poser cette question, vous savez. Mais cela aurait dû être fait à l'autre session. Vous nous avez obligées à faire des recherches. Donc, c'est possible pour ceux qui le veulent. Il y

a des gens qui penseront devoir ramper
toute leur vie et qui ramperont. Il y a des
gens qui croiront être limités par leurs pensées et qui resteront limités. Vous êtes toujours libres, tous autant que vous êtes, de
modifier cela. Vous avez pourtant tous
beaucoup d'imagination. Ne la mettez pas
de côté ; elle est aussi puissante que le
sourire ! *(Les colombes, III, 04–08–1990)*

*Les jeunes enfants qui ont des
grippes, des otites, des amygdalites
à répétition ne se programment sûrement
pas pour avoir ces maladies-là ?*

En êtes-vous bien certaine ? Combien de fois
n'avez-vous pas, dès qu'un enfant attrape une
grippe – parce que les virus se communiquent quand même, n'oubliez pas... Nous
avons déjà donné l'exemple des gens dans
cette pièce : vous êtes des adultes, donc vous
raisonnez, vous avez des craintes qui se con-
crétisent. Les enfants ont des craintes de
façon différente, mais cela ne les empêche
pas non plus d'attraper des virus. Remarquez

comment vous agissez comme parents. Dès
qu'un enfant a sa première grippe, que faites-
vous ? Vous vous empressez de le lui faire
remarquer, et surtout de faire remarquer à
ceux qui vous entourent que c'est la première
fois que votre enfant a la grippe, pour qu'il
s'en souvienne bien, puis vous trouvez des
moyens de le soigner. Parce que l'enfant se
dit qu'il est malade, il est malade ; il ne con-
naît pas la gravité de sa maladie bien sûr,
mais vous lui dites qu'il est malade, donc il
est malade. Que faites-vous ensuite ? Vous le
dorlotez un peu plus, vous le plaignez un peu
plus, et il y prend goût. L'enfant n'aime pas
le virus, mais il développe un goût. Donc,
lorsque cet enfant aura une faiblesse au
niveau de ses émotions ou dans sa vie, qu'il
s'agisse d'une contrariété, d'une mésentente
avec des amis, ou simplement le fait que
vous le délaissiez quelque peu pour penser à
autre chose ou passer à d'autres occupations,
pouvons-nous vous faire la suggestion qu'il
aura beaucoup de symptômes de grippe et
que, si un microbe venait à passer, il ferait
immédiatement un détour vers l'enfant.

Donc, ne nous parlez pas de programmation chez les enfants ; vous les programmez, ils subissent. Combien de fois n'avons-nous pas observé aussi des enfants qui communiquaient avec des Entités et leur parlaient comme à des enfants, comme à des amis, et combien de fois n'avons-nous pas vu des adultes leur dire : « Prends ta poupée ou joue avec tes camions », « Ne fais pas cela, ce n'est pas vrai » ! Donc, voyez-vous, il y a programmation constante. Effectivement, les enfants ne se programment pas d'eux-mêmes ; ce sont les parents qui les programment, comme ils ont été programmés eux-mêmes. Rappelez-vous votre première grippe ; vos parents vous ont plaints, vous ont fait comprendre ce que c'était ; cela aussi est de la programmation. *(Les colombes, IV, 08–09–1990)*

*Parfois j'entends des sons aigus, c'est quoi au juste ?*

Ceci est un problème au niveau du tympan interne causé par une accumulation de sébum. Cette accumulation fait en sorte de déplacer le tympan légèrement et rend votre oreille interne plus apte à entendre les ultrasons. Ces ultrasons proviennent aussi de micro-ondes, non pas ceux du four, mais ceux des appareils de communication. Cela pourrait être corrigé par l'enlèvement de l'oreille interne. *(Les flammes éternelles, I, 24-11-1990)*

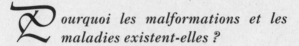 *ourquoi les malformations et les maladies existent-elles ?*

Parlez-vous des maladies physiques à la naissance ?

*Oui.*

Regardez tout ce que vous mangez et vous comprendrez. Prenons l'exemple du sida. Vous en parlez beaucoup actuellement, mais les animaux ont cette maladie depuis environ 176 ans, si nous faisons la moyenne mondiale, et vous en mangez toujours. Chez certaines familles où il y a des habitudes

alimentaires qui se perpétuent, vous trouverez davantage de ces malformations. Vous
verrez aussi la même chose se produire chez
les familles qui abusent de produits pharmaceutiques. Cela pourrait sauter une seule
génération, parfois deux, et reprendre. C'est
aussi une cause d'incompréhension. Vous
savez, il y a des Âmes preneuses pour ces cas
et ces personnes peuvent vous servir
d'exemple, elles peuvent vous aider à comprendre la vie. Actuellement, la nourriture
est la première cause de malformations et les
produits chimiques en sont la deuxième,
quoiqu'ils fassent partie de la première. En
effet, les tissus animaux que vous mangez sont
pleins de produits chimiques, par exemple
pour tuer les parasites internes, et cela les
pousse à croître dans tous les sens du terme.
Votre organisme les absorbe. La personne qui
attend un enfant et qui absorbe ces produits
risque de causer des malformations. Comme
vos cellules ne sont pas tout à fait identiques
à celles des animaux, il faut qu'il y ait une
accumulation pour en arriver à ce point.

*Vous avez parlé des Âmes preneuses, qui*
*sont-elles ?*

Ce sont les Âmes qui prendront ces corps
ayant des malformations.  Elles le font
parce qu'elles ont aussi à apprendre en
cela.  Qui vous dit que l'Âme d'une forme
qui a des problèmes physiques majeurs,
d'une forme repoussante peut-être pour
plusieurs, n'arrivera pas à terme ?  Qui vous
dit que cet Âme ne réussira pas ainsi à bri-
ser son cycle d'incarnations ?  Il faudrait
analyser chaque cas pour cela.  Il n'y a
aucune de ces formes qui n'a pas d'Âme,
alors que vous trouverez des formes en
parfaite santé physique qui n'ont pas
d'Âme.  Donc, il y a du bon dans cela aussi.
*(Maat, I, 09–11–1990)*

*Vous dites que la maladie se commu-*
*nique.  Si nous avons à côtoyer des*
*gens qui sont malades, comment faut-il se*
*comporter ?*

Les infirmières ont une protection supplé-
mentaire dans ce sens, sauf celles qui font
leur travail de force et que nous exclurons
de notre exemple. Les infirmières qui font
ce travail parce qu'elles l'aiment et qui y
mettent beaucoup d'amour, modifient aussi
leurs vibrations et leurs énergies et
repoussent les maladies hors d'elles. Dans
des sessions antérieures, nous avons
expliqué ce phénomène sur un autre plan,
chez les personnes qui sont ennuyées par
les Entités. Nous avons expliqué comment
les repousser. Donc, les gens qui soignent
et qui aiment cela se protègent de façon
involontaire. Les gens qui rendent visite
aux malades s'y rendent rarement par
plaisir ; ils le font et ont hâte de quitter ces
lieux. Ce ne sont pas des lieux de réjouis-
sance. Qui d'entre vous se sent à l'aise dans
ces endroits ? Vous ressentez toujours des
malaises, vous vous dites que ce n'est pas
votre place et que vous ne souhaitez pas y
être non plus. En quelque sorte, vous vous
faites une forme de protection. Chez les
enfants, c'est différent. Remarquez qu'on

interdit les visites aux enfants en très bas âge dans vos hôpitaux ; c'est donc que les responsables le savent déjà. Nous sommes d'accord car, chez les enfants, il y aurait réellement danger. C'est pour cela qu'ils ont situé les salles d'accouchement à des étages différents, par habitude ; ils se rendent compte. *(Harmonie, II, 08–12–1990)*

*En métaphysique, on nous avait enseigné de faire des cercles de lumière blanche pour éloigner la haine ou les maladies. Est-ce que c'est un moyen de se protéger ?*

C'est une très belle foutaise ! Cela équivaut à regarder la personne face à vous et à vous dire dans votre tête que vous l'aimez. Vous êtes très loin de la bulle blanche et la personne est très loin de vous entendre. Rien ne se produira. Cela pourrait fonctionner chez des gens très imaginatifs qui croiront même voir ces bulles, mais ils se protégeront non pas à cause des bulles blanches, mais parce qu'ils modifieront les vibrations

de leurs cellules entières. Vous souvenez-
vous du personnel soignant dans les hôpitaux qui se protège dans leur travail ? Nous
vous avons dit que c'était aussi par amour.
C'est la même chose pour vous. Si vous
n'avez pas l'amour, foutaise pour la bulle !
Si vous l'imaginez dans un sens d'amour,
pour vous protéger, cela marchera, bien sûr.
Ne le faites pas par crainte de la maladie,
sinon vous l'aurez, ne serait-ce que pour
l'apprendre. Une seule remarque à ce sujet.
Il y a plus de 2000 ans, on a raconté
une parabole dans laquelle, paraît-il, une
personne aurait retrouvé la vue avec de la
boue et du crachat. Pouvons-nous vous
suggérer qu'avant de voir, avant qu'il y ait
boue et crachat – qui ne guériront jamais
rien d'ailleurs – cette personne s'était fait
parler [secouer les puces]. Dans le sens où
cette parabole a été écrite, il ne s'agissait
pas réellement d'un aveugle mais d'un
homme qui refusait de voir la vérité et qui
s'était fait isoler dans son propre village.
Cette personne a guéri, pas de la vue
physique, mais à la vue des autres. Si on

avait rapporté intégralement cette parabole, vous auriez eu cette version. Donc, ne cherchez pas les miracles dans la boue et les crachats, vous allez avoir la gorge sèche !

*Je me suis fait opérer et je me suis dit : « Je ne serai pas malade à mon réveil » ; cela a fonctionné, est-ce que c'était de la programmation ?*

Dans un certain sens, à seulement 10 %. Vous aviez agi pour vous protéger de façon volontaire. L'autre 90 % fut de la chance, parce qu'il n'y avait rien de très dangereux à vos côtés... mais pas à cause de la bulle. *(Harmonie, II, 08–12–1990)*

*Que pensez-vous de la vaccination qu'on nous oblige à faire aux formes de nos enfants, du bas âge jusqu'à l'école ?*

Cela dépend des problèmes auxquels ces vaccins seront associés. Vos sociétés ont tout de même réussi à combattre certaines maladies bien connues. Elles ne vaccinent pas les enfants parce qu'ils sont malades mais dans le but de les protéger plus tard. Par ailleurs, inoculer ces vaccins qui contiennent déjà des virus contrôlés déclenche parfois une autre maladie, dans la même année ou de 10 à 15 ans plus tard. Cela correspond à jouer à pile ou face. D'un côté, vous pouvez gagner et de l'autre, perdre. Mais s'il n'y avait pas de vaccination, ce serait aussi jouer à pile ou face. Ceux qui auraient été épargnés par la vaccination seraient sûrement malades, mais pas les autres ; vous obtenez donc le même résultat. *(Harmonie, II, 08–12–1990)*

Est-ce qu'une personne qui se bat contre le cancer et qui est en voie de gagner devient beaucoup plus forte qu'auparavant ? Est-ce qu'il y a encore danger pour nous de la côtoyer, si on l'aime beaucoup et si on veut continuer à la voir ?

Une question avant de répondre à cela. Est-ce que la personne, dans l'hypothèse où ce serait vous, s'aime suffisamment aussi ou ne fait que donner de l'amour par pitié, compassion et compréhension ? Cela changera notre réponse.

...

Nous allons donc répondre aux deux. Si vous avez de l'amour pour vous-mêmes, vous donnerez de l'amour réel. Rappelez-vous, l'amour ce n'est pas que des mots, l'amour est aussi une sorte de vibration qui se retransmet entre les formes. Vous savez tous ce que l'amour sincère veut dire parce que vous avez appris à bien percevoir. Par contre, quand vous serez avec des gens qui vous aiment ou disent vous aimer et de qui vous ne ressentez rien, vous saurez qu'il ne s'agit que de mots. Si vous appliquez cela au cas d'une personne qui tente de vaincre son cancer, vous avez aussi deux réponses :

ou cela n'aidera absolument pas la personne malade, donc vous nuira, ou ce sera
totalement positif. Rappelez-vous du
miroir entre la pensée et la forme. Vous
saurez si c'est franc et honnête ou si ce n'est
qu'un jeu. Est-ce que cela répond à votre
question ?

*Oui, très bien.* (Harmonie, II, 08–12–1990)

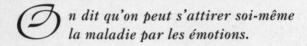 *n dit qu'on peut s'attirer soi-même la maladie par les émotions.*

Tout à fait vrai.

*N'est-ce pas le but de l'Âme de connaître la maladie pour atteindre plus ?*

Foutaise que cela ! Qu'est-ce que votre
Âme a à faire avec une forme qui n'est pas
en bonne santé ? Quelle théorie justifierait
cela ? Au contraire, si votre Âme voulait
une forme qui n'est pas en santé, que ferait-
elle ? Elle n'aurait qu'à observer des formes
qui ne le sont pas et prendre la leçon des

autres. Rappelez-vous que leur but est de pouvoir s'exprimer, d'être créatives avec des formes. C'était leur seul but : devenir créatives, créer d'elles-mêmes, devenir indépendantes les unes des autres. Voilà leur but ; ce n'est pas de rendre vos formes malades. Ce qui rend vos formes malades, ce sont vos façons de voir vos vies, c'est tout ce que vous exigez de vous en pensée, vos exigences personnelles trop grandes, vos craintes, vos peurs, votre inconscience. Bien que cela commence déjà à se savoir dans vos milieux hospitaliers, il faut bien comprendre que votre question peut être prise différemment. Nous avons observé combien de fois dans vos hôpitaux que des gens ayant de simples débuts de cancer sont placés à côté de gens ayant des cancers très avancés. Quelle erreur ! Les énergies des formes très malades peuvent très bien se retransmettre aux autres sans que les formes ne se touchent. Vous ignorez tout de cela. D'ici 10 ou 15 de vos années, vous verrez ce qu'ils vont faire dans vos hôpitaux. Ils vont contingenter les patients

selon les degrés d'avancement des maladies
afin d'isoler ceux qui ont des débuts de maladie des autres ; mais cela ne se fait pas
encore.   Prenez une forme faible psy-
chologiquement, une forme qu'on peut
facilement atteindre parce qu'elle sent que
rien ne fonctionne dans sa vie, et mettez-la
près d'une forme très malade.   Que se
passera-t-il, croyez-vous ? Il y aura contact
entre les deux formes au niveau cellulaire...
et c'est très sérieux !  C'est comme si vous
appreniez à être malades en fait ; et vous
auriez raison car c'est ce qui se produit.
Que de fois avons-nous observé vos hôpitaux !  Jamais nous n'y trouvons de gens
heureux.   Qui s'assemble se ressemble...
Cela ne veut pas dire qu'il n'y a pas place
pour du changement, pour de l'amour, pour
des revirements de situations !   Nous
plaçons parfois des gens au milieu des
autres pour tenter de les changer. Annie en
est une.  Pour nous, son expérience est de
voir à quel point vos formes peuvent être
contrariées au niveau cellulaire... et aussi à
quel point cela apporte des guérisons.

Nous observons tout cela avec grande attention. Nous aurons des changements à apporter à tout cela. *(Nouvelle ère, I, 29-02-1992)*

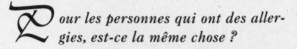 *our les personnes qui ont des allergies, est-ce la même chose ?*

Posez-vous cette question dans le sens que nous venons de mentionner ?

*Oui. Est-ce dû à des émotions refoulées comme pour les maladies en général ?*

Absolument pas. Dans un sens, vos formes développent les allergies pour de multiples raisons. Dans la majorité des cas, elles sont la conséquence de vos façons de vivre, aux produits synthétiques que vous portez, aux nourritures qui ne conviennent pas à vos formes, à l'air pollué que vous respirez, à tous ces produits chimiques absorbés qui vous font réagir à tels ou tels stimuli extérieurs. Bref, les allergies sont davantage causées par des maux évolutifs que par des raisons psychologiques. Si vous parlez carrément d'allergies au pollen ou à d'autres allergènes, cela n'a rien à voir avec la façon de penser, c'est purement et simplement physique. *(Symphonie, II, 04-05-1991)*

*Qu'est-ce qui cause la sclérose en plaques, peut-elle se guérir et comment ?*

Pas actuellement. Nous avons déjà fait des recherches pour certaines personnes à ce sujet. Actuellement, nous avons observé des recherches, surtout en Russie, mais elles n'en sont qu'au tout début. Ce ne sera pas prêt avant 5 à 10 de vos années [1996-2001]. Ils devront améliorer leur système actuel. Ce système est basé sur le nombre d'atmosphères [unités de pression], très supérieur à celui de votre atmosphère actuelle. Ce sera aussi valable pour traiter les formes de cancers actuels, mais ils n'étudient pas d'applications à ce domaine maintenant. La situation pourra changer mais pas actuellement, avec aucune médecine connue. Nous en sommes désolées.

*Est-ce qu'il y a une cause ou plusieurs causes à cette maladie ?*

Pas une cause reliée à une personne comme telle. Cette maladie peut être transmise de génération en génération, génétiquement dites-vous. Il faut donc surtout rechercher le côté génétique de la maladie. Parfois nous avons observé que la maladie avait sauté trois à quatre générations pour ensuite refaire surface. N'en cherchez pas la première occurrence dans une vie actuelle. En règle générale, cela n'a rien à voir avec la vie actuelle de la personne atteinte. Lorsque nous parlons de règle générale, nous voulons dire la majorité des fois. Bien sûr, il y a des façons de déclencher la maladie plus rapidement. Les gens qui ne s'affirment pas, qui gardent tout pour eux, qui ont constamment peur de blesser les autres mais qui ont été souvent blessés eux-mêmes auront la sclérose plus rapidement. C'est la même chose pour l'arthrite et toutes les autres maladies. C'est aussi le cas du cancer : vous l'avez tous sauf que certains l'utilisent et d'autres, pas. Soyez certains que vous avez tous le cancer. Il y a des gens qui se serviront des maladies pour en terminer plus rapidement, d'autres pour se faire aimer, peu importe. Rappelez-vous, vous ne plaignez pas les gens en bonne santé, mais vous aimez deux fois plus les gens qui sont malades et que vous aviez mis de côté parce que vous avez peur de les perdre. C'est la même chose au niveau de l'Âme. Nous avons expliqué cela plus tôt. Dans la sclérose en plaques comme telle, lorsque la maladie se déclenche et surtout lorsque le cycle biologique en est rendu à ce point, il y a très peu à faire pour contrer la maladie. Par contre, vous pourriez être porteur et développer la maladie par votre façon de vivre. Si votre question était: « Je sais que la sclérose ne peut se guérir actuellement, mais est-ce que je peux empêcher qu'elle

n'évolue ? », ce serait une question différente
et nous pourrions y répondre aussi.
Effectivement, il y a des moyens d'y arriver.
La maladie ne régressera pas, mais elle ne
progressera pas non plus, comme dans la
majorité de vos maladies d'ailleurs. Mais
c'est une question qui devient personnelle et
qui exigerait trop d'explication pour la session actuelle. Il y a des moyens effectivement et cela demande des efforts physiques
et psychologiques. Avant de les mettre en
pratique, vous devez vous poser une question : « Est-ce que je veux réellement ou est-
ce que c'est pour faire plaisir à d'autres ? »
C'est cela la maladie, c'est bien souvent pour
les autres, pour punir les autres. Rappelez-
vous, pour punir les autres, il faut vous punir.
Pour aimer les autres, il faut vous aimer aussi.
Nous préférons que vous vous aimiez pour
aimer les autres. Ne dites-vous pas aimer son
prochain comme soi-même ? Nous vous disons plutôt de vous aimer vous-mêmes pour
aimer votre prochain. C'est beaucoup plus
simple et clair. Bonne question. *(Les Âmes en
folie, I, 24–04–1991)*

*Vous dites qu'on est trop informé de la maladie, cela veut-il dire de couper tout contact avec les médias pour se protéger ?*

Il faut bien comprendre que, si nous vous disons cela, c'est pour que vous le sachiez. Une fois que vous le savez, vous ne voyez pas les gens malades de la même façon ; vous êtes sur vos gardes. Si vous voulez vivre la maladie de ces gens, vous l'aurez. Par contre, si vous vous protégez en vous remontant vous-mêmes, cela fonctionnera. Dans les hôpitaux, la majorité des soignants savent bien se protéger, sinon ils seraient tous malades à force de soigner. Ce n'est pas tout le monde qui peut le faire. C'est pourquoi certains d'entre eux n'arrivent pas à approcher certains malades, car ils les savent très forts pour retransmettre leur maladie. Il y a des formes d'antipathie marquées entre certains malades et leurs soignants. La majorité de ceux qui tra vaillent dans le domaine médical savent

déjà automatiquement comment se protéger parce qu'ils savent s'écouter, parce
qu'ils voient les résultats à longueur de
journée et parce qu'ils n'en veulent pas.

*Est-ce la même chose pour les guerres ?*
*Doit-on éviter de se laisser atteindre par les*
*gens colériques autour de soi ?*

Si vous voulez changer une personne qui
est colérique, vous n'y arriverez pas en
étant en colère contre elle, mais en étant en
paix avec vous-même. Cette personne se
rendra compte qu'elle est en colère contre
elle-même et c'est ce qui va la changer.
C'est une comparaison à petite échelle.
Plus il y aura de gens comme cela, moins il
y aura de raisons de se mettre en colère.
Actuellement, il y a trop de provocation et
c'est le contraire qui se produit. L'un montre
des armes et l'autre en montre de plus
puissantes encore, puis l'autre renchérit, et
ainsi de suite. Finalement, vos argents vont
beaucoup plus dans les efforts de guerre !

*Quelle attitude dois-je adopter ? Est-ce correct de penser qu'en étant empathique face à ce qui se passe dans le monde, face aux médias, face aux sentiments des autres, aux problèmes, je me protège et j'avance ?*

Si vous faites cela dans le but de garder votre équilibre, de progresser, vous avez raison. Il suffit de regarder vos nouvelles télévisées pour voir qu'il n'y a pas grand chose de réjouissant. Si vous êtes déjà déprimé après une journée de travail, comment arriverez-vous à digérer étant donné que ces nouvelles passent au moment des repas ? Difficile ! Donc, c'est pendant votre sommeil que votre digestion se fera et, comme cette période est réservée au système nerveux, vous ne vous reposerez pas. Mieux vaut écouter une musique calme ou qui vous plaît. Au moins, cela vous aidera, non pas à savoir ce qui se passe dans le monde, mais ce qui se passe en vous, dans votre monde, le premier.

*On vit dans une société dans laquelle on
doit fonctionner. Si on s'isole, de quoi va-t-
on avoir l'air ?*

De toute façon, cela ne changera rien. Vous
aurez l'air de ce que vous avez l'air actuellement. Si vous ne faites qu'écouter et
regarder pour vous tenir au courant, vous
ne serez pas dans le courant. Vous voulez
un exemple concret ? Regardez ce qui se
passe actuellement dans votre propre
province : vous avez des augmentations de
taxes continuelles ; vous écoutez tout cela à
la télévision et donc le savez tous. Que
faites-vous contre cela ?

*On subit.*

Et vous trouvez que cela va changer votre
façon de payer ? Mais vous êtes au
courant !

*Oui, mais je peux adopter une attitude qui
ne me choque pas.*

Bien sûr ! Vous couperez certaines dépenses
et serez taxée encore plus jusqu'à ce que
vous soyez forcée de vous fâcher.

*Vous dites qu'on doit se fâcher, être
agressif....*

Au moins vous faire entendre.

*Parler lorsqu'on ne nous entend pas...*

Si vous ne dites rien, vous allez passer votre
vie à subir. Est-ce qu'ils vous entendent
plus si vous ne parlez pas ? Si vous ne
voulez pas parler, vous pouvez écrire. Si
vous ne faites rien, vous êtes passifs. Nous
comprenons que, pour certaines personnes,
cela leur évite de se fâcher et c'est mieux
ainsi. D'un autre côté, quelle colère est la
meilleure selon vous ? Celle d'endurer, de
ne rien dire et d'avoir un moral qui n'est pas
à son meilleur tous les jours ou de se fâcher
une heure sur une lettre et de prendre la
chance que cela soit lu. Ces gens sont élus
et s'ils reçoivent cinq millions de lettres, ils

vont être forcés de comprendre que vous
n'aimez pas leur façon d'agir. Si vous ne
faites qu'en parler avec ceux qui mangent
avec vous, vous allez être quelques personnes à ne pas digérer... et cela agira sur le
moral du lendemain. Vous vous direz :
« Pourquoi travailler s'il faut payer tant de
taxes ? », et en vous disant cela, vous direz à
votre forme : « Tu n'as pas besoin de t'éner-
ver, car de toute façon cela ne rapportera
pas plus. » Ce faisant, vous coupez vos pro-
jets futurs. « De toute façon, je n'aurai pas
les moyens pour ceci, pour cela. » Quel
moral aurez-vous alors ? Nous ne suggérons pas que vous deveniez des autruches
mais que vous preniez des responsabilités
personnelles. Si quelque chose ne vous
convient pas, au moins vous l'aurez dit.
Sinon que ferez-vous dans vos vies de
couple ? Ferez-vous la même chose ?
Absolument. Que ferez-vous lorsque ça
n'ira vraiment pas ? Comme dans vos vies
de couple, vous vous séparerez d'une
société, vous vous isolerez, vous vous
fâcherez avec tout le monde et direz que

c'est tout le monde qui n'a pas bougé. C'est une roue sans fin. Nous disons cela seulement pour que vous appreniez à vous exprimer quand c'est le temps, pas trois mois plus tard, pas lorsqu'il n'y aura plus de problèmes mais maintenant, sinon vous allez apprendre à en rajouter d'autres. *(Diapason, III, 16–05–1992)*

À *l'avenir, est-ce qu'on pourrait prévenir les maladies avec les couleurs de l'aura ?*

Si l'imagination peut les modifier, quel jugement auriez-vous d'une personne qui peut les changer à volonté ? Les anciens écrits vous ont dit que les auras étaient les mêmes pour toutes les personnes, selon leur état d'Âme, leur état de santé et leur niveau de conscience ; mais c'est faux. Bien sûr, le vert sera toujours le vert, et le rouge, le rouge. Mais si, pour tromper l'oeil d'une personne qui peut vous percevoir, vous décidiez d'élever votre taux de vibration, vous tromperiez l'oeil de la personne qui vous observera et le jugement serait faussé. Si c'était pour vous-mêmes, il n'y aurait aucune objection. Cependant, il vous faudrait vous observer sur une période d'un an et, durant cette période, il vous faudrait avoir vécu la maladie, la joie, la tristesse, le doute, l'angoisse, tout ce qui sera humain, et avoir noté aussi toutes les couleurs observées lors de ces changements d'état. Vous pouvez facilement saisir que la tâche serait très ardue et très longue mais aussi que cette habileté ne servirait que pour vous, pas pour les autres. Nous savons qu'il y a plusieurs personnes qui se sont rendues intéressantes avec des thèses en les expliquant très bien. Prenez cela avec un grain de sel. *(Les chercheurs de vérité, III, 17–03–1990)*

*Quand on voit ou perçoit l'aura d'une autre personne, est-ce vraiment la sienne ou est-ce la projection de la nôtre ? Comment faut-il faire pour les distinguer ?*

En ce qui concerne la perception ou la vision
de l'aura, ceux qui vous disent percevoir les
couleurs peuvent avoir une vision faussée.
En effet, pour voir l'aura d'une autre personne, ils doivent voir à travers leur propre
aura. C'est très bien si les couleurs sont similaires. Mais vous savez très bien que les
couleurs se mélangent et que cela peut fort
bien fausser le raisonnement aussi. Cela n'a
pas été mis en raisonnement par le passé.
Les gens qui percevaient les auras disaient :
« Ah ! que c'est beau, il y a une couleur verte
et une or », puis ils décrivaient tout ce qu'ils
pouvaient observer. Pouvons-nous vous
suggérer que, si ces mêmes personnes pouvaient percevoir l'aura des autres, c'est donc
qu'elles pouvaient percevoir la leur. Elles
auraient donc dû comprendre que la vision
change selon les couleurs que la vue tra-
verse. L'aura peut avoir un rayonnement
très vaste. Chez certaines personnes, l'aura
sera très proche de la personne. Pour
d'autres, l'aura pourrait faire très facilement
un mètre. Il est difficile de vous expliquer ce
qu'une personne pourrait voir elle-même. Si

une personne vous dit : « Je vois très bien les couleurs de l'autre mais je ne peux percevoir la mienne », c'est qu'elle a une très bonne imagination, sinon ce ne serait pas logique. La signification de l'aura, les teintes qui lui ont été attribuées, même la définition de ces couleurs selon les caractères peut très bien s'appliquer. Il vous faut savoir cependant qu'une personne peut modifier à volonté ces mêmes couleurs, selon son état de concentration ou son état de santé physique. Si vous deviez vous fier uniquement à l'aura pour savoir si vous êtes en santé ou non, vous préféreriez très certainement ne pas les percevoir. Vous le comprendrez lorsque nous vous expliquerons notre méthode des couleurs [voir le tome 2]. C'est un outil comme un autre. Que vous perceviez l'aura, les énergies hors d'une forme, un dédoublement de la personne au niveau des énergies, c'est une autre possibilité. Mais ce ne sont que des outils ayant plus ou moins d'intérêt parce que vous pouvez les modifier à volonté et qu'ils faussent le jugement. *(Les chercheurs de vérité, III, 17–03–1990)*

*Je voudrais savoir d'où vient le sida et est-ce que cela va se guérir ?*

De notre côté, nous appelons cela des maladies de société. Le sida existait il y a longtemps ; il était moins répandu, bien sûr, mais il y avait alors plus de stabilité chez les couples.    Actuellement, les couples changent trop rapidement.    Regardez depuis quand le sida a évolué : depuis la grande libération sexuelle, depuis que la majorité des peuples de ce monde ont appris qu'ils pouvaient vivre facilement avec d'autres et que la séparation d'un couple ne causait pas longtemps de douleur.  Chez certains peuples, l'union ne dure que le temps d'un mariage, c'est-à-dire 24 heures.  La production, vous savez ! Il est normal que la maladie se soit croisée, échangée, et qu'elle se soit développée. Comme il fallait une raison, elle s'est adaptée à un groupe social particulier qui démontre ses émotions de façon différente. Cela a servi à justifier la maladie autant au

niveau social qu'au niveau de son
développement. Maintenant que le sida
touche plusieurs couches de la société,
même les enfants naissants, vous voilà aux
prises avec une maladie qui ne se justifie
pas bien. Vous voilà devant une maladie
qui n'est plus limitée à un groupe de personnes seulement, mais qui est répandue
dans toute la société, et ce n'est plus accepté. Donc, vos sociétés ont entrepris des
recherches et débloqué des fonds pour ces
recherches ; ce phénomène s'accentuera.
Mais tant que vous aurez dans vos idées
que le sida se développe chez certaines personnes plus que chez d'autres, plus vous
l'associerez à des parties seulement de la
société – nous savons ce que vous pensez,
n'ayez aucune crainte –, plus vous serez
touchés dans d'autres parties. Lorsque le
sida sera considéré non pas comme une
maladie particulière à certains groupes
sociaux mais comme une maladie pouvant
toucher toute la population, lorsqu'il sera
pris en considération, lorsque vous
arrêterez de fuir et de rougir devant ceux

qui l'ont, il régressera. Un traitement miracle n'apportera qu'une autre chose, une
autre maladie aussi rapidement. Certains
l'ont appelé mal de société. D'autres, plus
puritains, ont dit : « Ils ont eu ce qu'ils
méritaient ! » Eux, ils se sont contentés
d'un cancer ! Tout dépendra de ce que
vous ferez avec vos vies, de ce que vous
voudrez accepter. Ne nous dites pas que
ces gens ignorent le risque... ils le prennent.
Une fois que la maladie s'est installée dans
une forme qui en est consciente, il est très
difficile d'arrêter vos organismes. Vous
savez, ils ont la permission de continuer le
développement, vous la leur donnez.
Considérez encore la maladie comme un
problème uniquement physique, mettez de
côté la dimension psychique et sociale de la
maladie et vous allez chercher longtemps
les résultats. Vous obtiendrez des médications. Il existe déjà d'ailleurs deux produits
à cet effet actuellement. Ils ne les commer-
cialiseront pas car il n'y a pas assez de
malades mais ils le feront lorsque cela
deviendra plus payant monétairement.

C'est très embryonnaire à différents
niveaux. Ce n'est pas seulement pour le
sida ; c'est fort similaire pour le cancer : des
maux de société, des maux qui justifient.
Une simple remarque à ce sujet : n'avez-
vous jamais vu des familles qui sont toujours malheureuses de père en fils ? Ils ont
des enfants et ils sont malheureux. Ceux-ci
ont des enfants à leur tour et ils sont malheureux. Cela se retransmet, vous savez.
Cela devient tellement partie intégrante des
cellules des formes que cela doit être sinon
ce ne serait pas une vie. La maladie est fort
similaire, tout dépendra du niveau d'acceptation que vous en aurez et aussi du niveau
d'acceptation de vous-mêmes. Regardez
actuellement ceux qui ont survécu plus
longtemps que les autres au sida, comme au
cancer d'ailleurs. Ce sont des gens qui se
sont pris en main rapidement, qui ont
refusé ce qu'ils avaient. Ils ont retardé la
maladie, mais il y avait toujours des gens
pour le leur reprocher, pour leur rappeler
ce qu'ils avaient. Vous allez dire :
« Pourquoi ne pas les isoler ? » Ce n'est pas

le meilleur moyen de leur faire comprendre leur maladie ; une maladie de société, c'est cela. Y a-t-il une sous-question à tout cela ?

*Si je comprends bien, il existe deux médicaments déjà découverts, mais ils ne les sortiront pas sur le marché ?*

Ils sont très à point. Tant qu'il y aura des sous à faire avec cela, ils attendront. Il faudra qu'ils aient des sous pour les prochaines maladies, donc ils accumulent des fonds pour les recherches futures. Cela s'est toujours fait dans vos systèmes, mais vous avez appris à l'accepter. Simple parenthèse : on nous fait remarquer que la deuxième industrie au monde au niveau des profits est l'industrie pharmacologique. Bien souvent, ceux qui détiennent ces usines développent et fabriquent aussi des produits d'armement, et même des pesticides. D'ailleurs, il n'est pas rare de voir ceux qui fabriquent des médications, fabriquer aussi des pesticides pour vos jardins ; ils vous protègent et protègent vos légumes ! Absorber ces

pesticides vous permet de devenir malades
vous aussi et d'avoir besoin d'autres
médicaments.    La roue... ou la carotte
devant l'âne ! Vous saviez tous cela en fait.
*(Les Âmes en folie, IV, 20–07–1991)*

*La séropositivité, est-ce le sida ou
est-ce que ce sont deux choses
différentes ?*

En fait, c'est la même chose, mais vous en
distinguez deux.  Vous avez tous le sida en
fait.  Le sida est déjà dans chacune de vos
formes, comme le cancer, sauf qu'il faut
trouver des mots pour dire qu'une personne
est contagieuse ou non.  Le mot restera.  Si
une personne est séropositive, cela veut
dire pour la science qu'une partie du virus
est contagieux.  Si le résultat est négatif, par
contre, le virus est toujours présent mais il
n'est pas mis à contribution.  D'un côté ou
de l'autre, c'est la même chose, les deux à la
fois aussi.    Tout dépendra de la compréhension que vous aurez de ce fait.
*(L'envol, II, 11–04–1992)*

*Si la maladie est causée par un manque d'amour à la base, une maladie comme le sida a-t-elle sa raison d'être ?*

Le sida est le mal d'une société qui ne s'accepte pas, d'une société qui vit en marge d'une autre, dans la marginalité, une société rejetée depuis toujours. Tous ici avez ce même virus, mais vous ne le développez pas tous en même temps. De même, vous tous ici pouvez développer le cancer ; il n'y a pas une exception parmi les personnes présentes. Vous l'avez déjà tous. C'est acquis actuellement. Vous êtes déjà pénalisés en venant au monde ; par vos façons de vivre, les systèmes immunitaires des mères et des pères sont déjà amoindris. Vous avez tous ces maladies et vous n'avez rien vu. Actuellement, le sida touche certaines parties de vos sociétés, mais des maladies plus radicales feront bientôt leur apparition. Actuellement, il y en a une qui prend sept jours, mais bientôt il y en aura une qui prendra 24 heures, plus rapide !

Continuez à vivre comme vous le faites et vous allez apprendre. Vous avez tous des choix à faire. Le premier est de vous accepter ; le deuxième est de vivre ce choix. Cela implique que, si vous vivez malheureux et que vous vous vous maintenez dans cet état, vous allez empirer votre sort et vos formes sont tellement à l'écoute qu'elles vont tout faire pour vous donner raison. Ce n'est pas compliqué à comprendre pourtant ! Ce n'est pas en vous enfonçant la tête dans le sable ou entre vos jambes que vous allez oublier la réalité. Vous avez le choix d'être heureux aussi. Cela implique des changements ; cela implique de vous ouvrir, de communiquer, sinon vous ne vivrez pas, vous subirez. Vous allez être les esclaves des autres, c'est tout. Vous n'aurez que vous-mêmes à blâmer, pas la société, parce que c'est vous à la base qui faites cette société. Vous savez que des maladies comme le sida existent, mais vous savez aussi comment vous en protéger. Comment se fait-il que le sida continue de se propager ? Parce que vous acceptez une condition, un risque. C'est cela la réponse. Et lorsque vous avez la maladie, la culpabilisation s'installe, la mise au ban de la société, la mise à l'index. Quelles raisons auriez-vous de continuer à vivre si vous faites peur à tout le monde ? Mieux vaut en finir. C'est cela qui se produit. Le cancer, c'est une approche différente, très différente, mais similaire dans l'ensemble chez ceux qui adorent se punir. Nous ne parlerons pas des cas dont le cancer est d'ordre génétique et qui sont beaucoup moins nombreux que les autres. Il n'y a personne ici ce soir qui ignore ce qu'est le cancer. Vous le savez tellement bien que vous le craignez. Vous le savez tellement bien que votre forme le sait et, lorsque cela ira mal, lorsque vous vous en voudrez suffisamment, vous aurez déjà la recette pour en finir. Tous les jours vous êtes programmés par des connaissances sur la maladie ; votre société vous les fait vivre en plus et vous le vivez bien, croyez-nous. *(Nouvelle ère, II, 23-03-1992)*

## *Est-ce la liberté sexuelle qui a fait le sida ?*

C'est plutôt ce qui entoure la liberté sexuelle. Le sida, comme le cancer d'ailleurs, ont toujours été en vous sauf que ces deux maladies ne s'étaient pas développées consciemment. Vous avez appris à les développer par vos remords et surtout par vos craintes. Nous les appelons maladies sociales. Comme ces maladies sont déjà présentes en vous, elles ne se développent pas si vos formes ne sont pas stimulées négativement. Toutefois, lorsque vos formes et vos pensées en sont rendues à un niveau tel qu'elles se rendent coupables elles-mêmes, lorsque vos pensées rendent la forme coupable, la forme répond par la maladie, elle se culpabilise. D'ailleurs, il y a eu des rémissions, dans certains cas, par le rire seulement, et dans d'autres, par des moyens chimiques. Eh oui ! vous pouvez maintenant forcer vos formes à vivre malgré elles, mais cela ne réussit pas toujours.

Il y a très souvent reprise de la maladie, de
la même ou d'une autre. La majorité de
ceux qui ont ces maladies en veulent à la
société, alors ils ont ce qu'ils ont.
Actuellement, le sida n'existe pas seulement
chez les homosexuels, mais même dans les
couples. Ce qui n'était au début qu'un virus
inoffensif s'attaque maintenant au système
immunitaire. Expliquer le développement
du sida prendrait un temps énorme. En
effet, il serait très long de vous expliquer
comment ces cellules en sont venues à fabriquer elles-mêmes ce virus – car cela ne
s'est pas attrapé dans l'air, vous savez. Il en
est ainsi des nombreuses autres maladies
dites sexuelles. À trop se défendre, votre
corps en a assez et il laisse aller. Chacune
des cellules de votre corps et chacun des
atomes qui composent ces cellules a sa propre conscience. Les cellules et leurs atomes
savent très bien ce que sont vos formes et
ce qu'ils doivent faire. Lorsque vous vous
sentez coupables et que vous dites à vos
cellules : « Cette vie me pèse », pourquoi
devraient-elles se renouveler ? Pourquoi

vous donneraient-elles le goût de vivre dans
une forme en santé si vous leur dites : « Je
ne veux pas de cette forme » ? Les cellules
communiquent bien ensemble. Vous savez,
il y a des gens qui ont le virus du sida, qui
en sont porteurs et qui ne développeront
pas la maladie. Ils ont appris à se battre différemment, même inconsciemment. Vos
vies seront de plus en plus des combats
contre la violence, non seulement contre la
violence perçue mais aussi contre la violence de votre forme elle-même face à ces
observations de violence. Vous êtes
des êtres doublement intelligents, non
seulement par le cerveau mais aussi par ces
milliards de cellules qui ont leur conscience
et leurs responsabilités. Rendez-les coupables, elles le seront. Faites-leur voir que
vous êtes heureux et elles le seront. Vous
serez toujours à l'image de vos pensées,
qu'elles soient créatives ou destructives.
C'est votre choix. Le plus important, ce
n'est pas ce que vos voisins pensent de
vous, mais ce que vous vous pensez
de vous-mêmes. Cela peut détruire votre

santé. Les personnes heureuses de leur condition, qui n'ont aucune crainte, ont des cellules conscientes qui sauront se protéger. Votre système peut être attaqué aussi bien par une grippe que par le sida. Cela dépendra de l'évolution de votre conscience de la vie. C'est la base de la vie. Plus les enfants sauront jeunes ce qu'est la vie, plus ils seront protégés. *(Les chercheurs de vérité, I, 09–12–1989)*

*À propos du sida, on s'éloigne un peu des sidéens, mais vous disiez au sujet du cancer qu'il faut s'isoler, qu'il faudrait isoler les personnes. À ce moment-là, ils ne reçoivent plus d'amour ?*

Tout à fait, mais cette maladie fait en sorte qu'il en soit ainsi. Ce n'est pas une maladie pour rapprocher les gens, ce n'est pas une maladie où l'on trouve facilement des gens pour consoler. Comme le nombre de malades ayant le sida dépasse actuellement le nombre de personnes prêtes à les aimer, cela entraîne l'effet contraire, et cela fait une chaîne, et la maladie se répand. Ces personnes ne sont pas comme vous ce soir. Elles n'ont pas reçu cette programmation ; mais elles en ont reçu une différente. Une programmation très simple d'ailleurs : vous allez mourir, il n'existe aucun remède pour le sida. Ils n'ont aucune chance. C'est plutôt le problème à regarder, pas seulement l'amour que vous aurez pour eux. Rappelez-vous ce que nous vous avons dit tout à l'heure : l'amour est en vous, ce ne sont que les surplus de l'amour qui vont à l'extérieur de vous, sinon ce serait de l'hypocrisie. Tenter d'aimer une autre personne sans s'aimer soi-même est une forme de suicide, parce qu'on en vient tôt ou tard à s'en vouloir, à se tricher. C'est la vérité. *(Harmonie, II, 08–12–1990)*

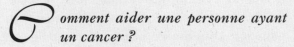

*omment aider une personne ayant un cancer ?*

Continuez à l'aimer. Démontrez-lui une connaissance de la vie plus profonde que la sienne. Si vous avez intérieurement la foi profonde de l'amour, cette forme ne le ressentira pas sans que vous n'utilisiez des mots mais l'Âme vous percevra et cela servira à encourager la forme. Neuf cas de cancer sur 10 proviennent de causes déjà établies d'avance ; seul 1 cas sur 10 est génétique. Il vous serait futile quand la maladie est aussi avancée de tenter de faire comprendre à cette personne la cause de sa maladie. *(Les chercheurs de vérité, I, 09–12–1989)*

*Comment aider une personne en phase terminale ?*

Certaines personnes ont choisi d'être en phase terminale. Pour les aider, il vous faudrait les reprogrammer au complet. Trouvez le problème qu'elles ont et vous en trouverez le pourquoi. Toutefois, ne confondez pas les problèmes génétiques qui peuvent se communiquer de cellule en cellule, et de siècle en siècle. *(Les pèlerins, I, 27–01–1990)*

Nous savons aussi que vous êtes aussi très absorbés par les valeurs de vos vies ; nous savons que, si vous aviez tous le choix de pousser sur un bouton pour que tout s'arrange, vous le feriez tous. Mais cela ne fonctionne pas ainsi. Comme nous l'avons dit au début de cette session, lorsque cela ne va pas, vous attendez une réaction de vos formes plutôt que d'arranger votre situation. Et lorsque ces réactions ont lieu, vous réagissez à votre situation, parfois avec du retard, ce qui entraîne des complications dans la maladie, et c'est parfois irréversible. Notez que vous faites tous la même recherche actuellement : la recherche des miracles, des solutions rapides, moins douloureuses, moins nocives, comme vous dites, pour vos organismes. Quelle foutaise ! Rendez-vous compte ! Vous vous polluez l'esprit tous les jours jusqu'au point d'être malades et vous cherchez des solutions miracles qui n'empoisonneront pas votre organisme, alors

que vous empoisonnez vos vies pour des
riens. Vous trouvez cela normal ? Vous
trouvez que cette recherche est équilibrée ?
Ce ne sont pas des médecines douces qu'il
vous faut mais des vies douces... pour éviter
justement les médecines douces. C'est cela
le remède idéal. Regardez ce qui change de
vos jours. Toutes les fois que vous vous en
êtes fait – il aura fallu plus ou moins de
temps selon les individus –, c'était toujours
pour vous rendre compte par la suite que
vous vous en étiez fait pour rien. Vous pouvez le constater en prenant du recul mais,
lorsque vous le vivez, vous n'en êtes pas
conscients, vous vivez parfois vos événe-
ments avec douleur. Pourquoi ne pas
devancer le temps un peu plus pour être
vous-mêmes ? Vous vous croyez obligés de
faire un travail que vous n'aimez pas, par
insécurité. Vous l'apprenez chèrement.
Nous venons d'entendre d'autres remar-
ques : « Ce n'est pas le temps actuellement. » Mais quand sera-t-il le temps ? Si
un travail ne vous convient pas, prenez au
moins le temps d'y penser, de vous

souhaiter mieux, de bien visualiser dans vos têtes ce que vous souhaitez. C'est la même chose pour les gens qui vivent à vos côtés. Vous voulez les changer ? Changez-vous ! C'est aussi une façon d'envisager vos vies. Sans changement, rien ne s'est jamais passé et rien ne se passera dans le futur. Tant que vous rechercherez des miracles, rien ne se produira. Tant que vous rêverez, vous ne créerez pas. Soyez réalistes. Vous croyez qu'il s'agit simplement de rétablir les soi-disant énergies d'une forme pour que celle-ci se guérisse. Mais à quel prix ? Bien souvent, au risque de vos propres vies. Ce n'est pas parce qu'une méthode porte un nom qu'elle est valable. Regardez vos produits pharmaceutiques actuels. Plusieurs de ces produits étaient souhaitables il y a seulement cinq ans mais, actuellement, vous vous rendez compte qu'ils ont créé des maladies très graves ; et pourtant il n'y avait pas de problème il y a cinq ans. Les énergies de vos formes, cette forme d'électricité qui les parcourt, sont constamment équilibrées car elles sont autoréglables. Vos formes sont

...stamment à la recherche de cet équilibre. Si vous les forcez sans ajouter ce qu'il faut consciemment dans l'esprit de la personne, si vous rééquilibrez l'énergie des formes sans équilibrer la pensée de la personne, vous les forcez à se déséquilibrer à d'autres endroits, et ainsi de suite. Oui, vous apporterez des soulagements, mais ce ne seront que des soulagements temporaires. Nul ne peut forcer une forme à guérir si elle ne le veut pas. Vous pourrez atténuer les symptômes de la maladie, et ses effets parfois, mais vous allez vous rendre compte qu'après un certain temps, cette personne développera une maladie encore plus grave et que vous ne pourrez pas la guérir avec de l'énergie. Donc, le travail doit se faire à la fois au niveau de la conscience de l'individu et au niveau de l'énergie. Cela va plus loin : il faut faire en sorte d'apprendre à différencier le taux vibratoire de votre propre énergie de celui de l'autre personne, sinon vous allez mélanger votre énergie à celle de l'autre personne. Cela devient de la programmation inconsciente, ce qui veut dire que vous pouvez même transférer le mal à votre propre forme. Vous ignorez tout à ce niveau. Actuellement, cela a l'air d'un jeu pour vous, un rêve : le soulagement par l'imposition des mains. Celui que vous appelez Jésus a tenté cela aussi. Vous avez vu comment cela s'est terminé dans l'histoire ? Vos sociétés actuelles ne manqueront pas de faire la même chose à tous les niveaux. Cela ne s'est pas terminé sur la croix pour Jésus... nous voulions juste utiliser l'image. Si cette personne était capable il y a 2000 ans de dire qu'à moins d'avoir la foi, personne ne pourrait guérir, comment pouvez-vous actuellement guérir seulement en imposant les mains et en rétablissant l'énergie ? Vous ne faites que déplacer les symptômes. C'est cela que nous voulions dire au début en vous disant qu'à moins d'amener le conscient à accepter volontairement les changements, il n'y aurait que des changements de symptômes. Vous savez ce qui arrive alors ? Si la forme ne perçoit plus consciemment la douleur, elle en vient à comprendre comment s'y prendre et elle trouve une maladie beaucoup plus grave ; lorsque viendra le temps de la guérir, il sera trop tard. Vos formes ne sont pas idiotes, vous savez. Seulement de vouloir comprendre comment elles fonctionnent est déjà un travail en soi. Nous considérons que vous ignorez tout sur vos formes, tout du fonctionnement de vos cerveaux et des relations intercellulaires de vos formes. Tout cela est moins connu que ce que vous connaissez de l'Univers. Il y a encore beaucoup de questions en suspens à ce sujet, pas seulement sur la façon de guérir les autres mais de vous guérir vous-mêmes, sur la façon de vous accepter vous-mêmes à travers la maladie. Que faut-il comprendre dans la maladie ? Tout cela, c'est pour vous. Vous voulez des miracles ? Croyez-y pour vous-mêmes avant tout. Quand tout fonctionnera bien pour vous-mêmes, vous serez en mesure de le faire comprendre aux autres. D'ici peu, beaucoup d'études seront publiées sur les effets des ondes à basses et à hautes fréquences.

Vous ignorez tout de cela. Vous croyez que la technologie actuelle est avancée, qu'elle vous aide ? C'est en partie vrai, mais vous ne voyez pas les méfaits qu'elle cause à vos formes. Vous ne voyez pas non plus que vos cerveaux ne sont plus capables de retransmettre les ordres nécessaires aux fonctions vitales de vos formes lorsqu'elles sont bombardées constamment par toutes ces ondes. Il est encore trop tôt pour vous l'expliquer. Nous le ferons au long de ces sessions si vous posez les questions nécessaires. Faites un peu plus d'efforts et vous comprendrez cela à la fin, vous verrez. D'ailleurs, nous y verrons. Tous ces changements au niveau de vos formes doivent être compris si vous voulez vous comprendre vraiment, si vous voulez vous changer sans qu'il y ait de douleurs. Il faut comprendre cela. Nous vous avons dit antérieurement qu'une personne qui ne sait pas ce qu'elle fait peut retransmettre à sa forme non seulement les douleurs mais la maladie de la personne qu'elle soigne. Comment est-ce possible ? Très simplement.

Supposons que vous soigniez une personne qui a des problèmes au niveau des reins, peu importent ces problèmes, disons un problème de fonctionnement ; cela veut dire que son rein a une vibration altérée par rapport à la normale. Supposons que vous ayez aussi une faiblesse à ce niveau. Comme les cellules des formes se perçoivent, vos formes se perçoivent mutuellement. Si jamais vous étiez dans une phase où vos reins ont aussi des problèmes de plus en plus graves, que feraient vos reins ? Ils adopteraient les vibrations de l'autre forme sans que vous le sachiez. Cela se fait comme cela. Si vous avez en outre une baisse au niveau de l'énergie de votre forme – nous parlons de l'énergie totale de la forme, celle retransmise par le cerveau et la circulation sanguine –, ce serait immédiat. Vos hôpitaux ne l'ont pas encore compris, mais cela viendra. En plaçant des personnes qui ont un début de cancer dans des chambres où d'autres personnes ont des cancers similaires plus évolués, on aggrave leur cas. C'est vrai non seulement si on les place dans la même chambre mais aussi dans les autres chambres. Vous ignorez tout de cela. Vos savants en sont venus à écouter l'Univers et ils ont traduit cela par différents bruits, par différentes formes de musique. Même l'énergie d'une ampoule, d'une seule ampoule, peut atteindre l'extrémité de l'Univers. Quel que soit le temps nécessaire, elle l'atteindra. C'est comme cela que vous utilisez les sons d'ailleurs. Vos formes émettent des sons, elles vibrent. Pas besoin de les entendre, elles vibrent. C'est comme cela qu'elles se tiennent ensemble, qu'elles ne font qu'un, comme l'Univers d'ailleurs. Ignorer ce fait, c'est de l'inconscience totale. Tout cela pour vous faire comprendre que, même si vous n'y pensez pas, vos formes se perçoivent entre elles, très bien même. Si vous êtes dans les dispositions nécessaires, vous attraperez ce qu'il faudra. C'est une façon de comprendre que vous n'êtes pas obligés de penser pour que vos formes se programment. C'est ainsi que cela se fait. Pensez-y bien. Vous découvrirez plusieurs raisons qui expliqueront pourquoi certains membres de votre

famille ont été plus malades dans les hôpitaux qu'avant d'y être. Vous direz : « Cela
dépend de la sensibilité de chacun. » C'est
un fait.　Pourquoi les infirmières et les
médecins ne sont-ils pas tous malades ?
Parce qu'ils ont accepté leur travail, parce
que leurs formes sont conscientes du niveau
de protection dont elles ont besoin.　Le
médecin, par ses études poussées, se protège
très bien : vous l'avez tous remarqué un jour
ou l'autre chez ces médecins insensibles aux
patients.　Qu'arrive-t-il à ces infirmières qui
aiment trop ?　La majorité d'entre elles s'af-
faiblissent.　Comprenez bien que, malgré
votre cerveau, vos formes communiquent
entre elles.　D'ici 30 à 40 de vos années, ce
sera un peu plus évolué dans ce domaine ;
vous en saurez alors un peu plus.　Dans un
peu moins de 100 de vos années, il existera
des appareils qui écouteront vos formes –
pas vos voix.　Les médecins pourront ainsi
calibrer les vibrations de vos formes sur des
normes déjà acquises et les réparer uniquement en réajustant ces vibrations, sans
opération.　Cela se fera.　Cela se fait déjà

dans plusieurs autres mondes. Les boucheries existeront encore mais seulement pour vous nourrir, pas pour observer vos formes. Vous en êtes encore à chercher à comprendre les rejets qui surviennent lors des greffes d'organes, à chercher des produits forçant les organes transplantés à vivre. Rendez-vous compte que c'est la même chose dans votre quotidien. Combien prennent des pilules pour la même raison, pour se forcer à vivre. Cela doit changer sinon vous n'allez faire que cela : trouver des raisons pour vivre et non pas vivre. Qui d'entre vous ne se remet jamais en question ? Qui d'entre vous n'a pas une journée sur deux pour penser à une partie de cette vie qu'il n'aime pas ? C'est cela qui vous conduit à chercher des raisons de vivre. Il y a encore beaucoup à faire pour que vous compreniez bien tout cela, mais de savoir ce que nous venons de vous dire va au moins ouvrir une porte de plus. Il faut rendre vos vies moins lourdes, dédramatiser tout cela avant qu'il ne soit trop tard. C'est aussi notre but avec vous tous.
*(L'envol, II, 11–04–1992)*

*En fait, si on veut aider quelqu'un d'autre, on n'a qu'à lui envoyer de l'amour ?*

Surtout de la compréhension. Si vous connaissez bien vos couleurs, que vous en avez
fait une charte et qu'elle vous convient,
lorsque vous penserez aux autres, votre aide
dépendra aussi du sens dans lequel iront
vos pensées. Si c'est pour guérir les autres,
faites-leur comprendre que vos capacités ne
sont peut-être pas de guérir leur maladie,
mais de leur faire comprendre ce qu'est la
maladie. La majorité d'entre vous sont ici
pour eux-mêmes, en premier lieu. Ce sera
ce que vous refléterez envers les autres qui
comptera. Si les gens vous perçoivent
comme des êtres différents, ce sera l'image
que vous projetterez qui comptera, et non
pas ce que vous ferez avec vos doigts ou
avec votre imagination dans certains cas.
Certaines personnes ici présentes aident les
gens avec leurs mains, mais c'est leur fonc-
tion ; nous ne pourrons donc pas généraliser. Il y a des multitudes de méthodes pour

susciter un début de compréhension : la
numérologie, l'étude des rêves, l'astrologie,
le tarot pour certaines personnes. Peu
importent les moyens utilisés, c'est le résultat qui comptera. Le plus important, c'est
de comprendre qu'il y a toujours plus. Si
vous voulez aller plus loin, il y a toujours
possibilité. Avons-nous répondu à cette
question ? *(Les chercheurs de vérité, IV,
21-04-1990)*

*La méthode ayurvédique qui pré-
conise le son primordial comme
méthode d'autoguérison, est-ce vrai ou c'est
du charlatanisme ?*

Les sons sont fort similaires aux couleurs.
Certaines personnes ne réagiront pas bien
aux couleurs, simplement parce que ce ne
sera pas assez profond comme réaction. Le
son constitue une autre méthode. La
preuve en est fort simple. Depuis des siècles et des siècles, vos musiques existent de
façons fort différentes et il y a toujours de
nouvelles compositions. Serait-ce qu'il y a

de plus en plus d'imagination ou serait-ce que les sons doivent différer selon l'évolution des formes ? Pensez à cela. Vous verrez que votre musique a aussi une évolution et que vos formes ont aussi une évolution. Ce qui convenait aux formes il y a 10 de vos années, ne convient plus aux formes actuelles. Ce n'est pas une question de goût, c'est une question de vibration. Si la musique vous rappelle des sentiments, c'est très bien. Utilisez-la si elle peut vous aider ; certains croient même que les vibrations de la musique peuvent créer et guérir. Nous vous suggérons que ce ne sont pas les notes, mais les longueurs d'ondes de ces mêmes vibrations qui guérissent. Dans un sens, lorsque certains de vos organes sont touchés par certaines fréquences, cela peut aider. On emploie cette méthode actuellement. Vous pourriez comparer cela à des micro-ondes ; les ondes sont utilisées pour détruire ce que vous appelez des pierres. Si vous utilisez les vibrations causées par la musique elle-même, à très haut niveau, vous pouvez masser certains de vos

organes, mais cela ne guérira pas automatiquement vos problèmes. Il faut qu'il y ait
la pensée aussi. Actuellement, même avec
votre médecine chimique, lorsqu'on vous
donne des médicaments, n'oubliez pas le
côté suggestif qui doit les accompagner
et vous irez beaucoup mieux. Si on vous
disait : « Prenez ceci, mais vous n'irez
probablement pas mieux et nous essaierons
autre chose », votre confiance serait très
minime. *(Les chercheurs de vérité, IV,
21–04–1990)*

*La médecine la plus évoluée est celle
de la pensée. Pensez-vous que la
médecine holistique soit quelque chose qui
soit très bien pour nous ? Connaissez-vous
The Aids ?*

Mais quel est le but réel de cette question ?
Parce qu'en fait, vous nous demandez notre
opinion sur une matière.

*J'ai eu l'impression d'avoir eu une intuition
ou une inspiration très forte un matin où*

*mes yeux coulaient beaucoup. J'ai pensé à
Monique très fortement et je me demandais
si je ne pouvais pas l'aider dans une guérison semblable.*

Est-ce que vous aviez confiance en cela, ou
était-ce seulement... au cas où ?

*Non, j'avais confiance.*

Comprenez bien que, si vos maladies sont
aussi causées par vos pensées, à un très fort
pourcentage, les guérisons le sont aussi
dans le même sens. Peu importe ce que
vous utiliserez pour guérir, que ce soit pour
vous-même ou pour les autres, si vous avez
confiance en la méthode utilisée, vous réus-
sirez. N'oubliez pas que, pour une même
maladie chez deux personnes différentes,
les moyens à utiliser seront différents
encore une fois. Cependant, si votre façon
de convaincre est suffisamment puissante
pour convaincre la personne malade qu'elle
guérira et si celle-ci vous croit, il y aura suc-
cès. Sinon, vous devrez employer une autre

méthode. Donc, la guérison est basée sur la
confiance et aussi la maladie, sauf que vos
pensées intercèdent très souvent en cela.
Pensez à ces faux médicaments que vous
appelez placebo ; s'ils ont guéri des gens,
c'est donc qu'ils fonctionnaient par confiance. Peu importe ce que vous prendrez
comme méthode ou comme produit, si
vous êtes convaincants, si vous savez transmettre votre foi, cela réussira. Le résultat
est dû beaucoup plus à la personne qui
soigne qu'au médicament. Le simple fait
d'ignorer ce qu'est une maladie en particulier vous protège déjà de celle-ci. Par
contre, plus vous serez documentés, non
seulement vous mais aussi les autres, sur
des maladies en particulier, dans le détail,
plus consciemment vous serez prêts à les
accepter parce que vous saurez ce qu'elles
sont ; vous vous serez faits à l'idée.
Inversement, il y a de fortes chances que
vous n'ayez pas les maladies dont vous
ignorez l'existence. Un seul exemple pour
vous. Supposons qu'il y ait une personne
ayant la grippe ce soir. Du simple fait que

vous sachiez que vous êtes sujette à l'attraper, vous l'aurez. Ce n'est pas néces-
sairement parce que vous l'aurez contractée
mais parce que votre organisme sait déjà ce
qu'est ce virus, il en créera donc l'effet et
attrapera lui-même le virus. C'est pour cela
qu'il y a des gens oeuvrant en milieu hospi-
talier qui n'attrapent pas ces maladies ; ils
ont appris à les éloigner, pas pour eux-
mêmes, pour ceux qui les ont ; il y a nuance
en cela. En effet, vos sociétés fort évoluées
vous apprennent qu'il existe des maladies
et, comme si ce n'était pas suffisant pour
vous en convaincre, on vous en décrit les
symptômes en détail, on en fait l'analyse à
la télévision, on vous montre des gros
plans, bref on vous en donne suffisamment
pour vous convaincre. Et lorsque vous
vous mettez à douter, à craindre d'avoir ces
maladies, s'il y a faiblesse au niveau de vos
pensées ou de certaines cellules de votre
forme, vous les contractez. Pourquoi
croyez-vous que le sida se soit autant
répandu ? Pourquoi croyez-vous qu'il y ait
autant de cas de cancer ? Nous vous avons

dit, dans une session antérieure, que les cellules n'avaient pas besoin de contact entre elles pour se programmer. C'est trop nouveau pour vous encore, pour le niveau de la science actuelle, mais c'est tout de même une réalité. Vous relirez la transcription de cette session, vous comprendrez beaucoup mieux la maladie. *(Les colombes, IV, 08-09-1990)*

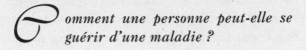omment une personne peut-elle se guérir d'une maladie ?

Comment une personne devient-elle malade ? Nous vous posons cette question.

***Les causes sont parfois inconnues dans les pensées.***

Demandez-le à la personne malade ou analysez-la de près. Regardez ses émotions, regardez ses sentiments envers elle-même, regardez son comportement envers son entourage, vous trouverez une faille. Cela a pu débuter lorsqu'elle était chez ses parents, il n'y a pas d'âge pour cela. Tout dépend de la volonté qu'il y a eu à programmer cette forme ou à la déprogrammer. Vous voulez savoir comment vous guérir ? Faites la même chose que lorsque vous êtes devenus malades : acceptez le fait, puis reprogrammez vos formes par une pensée plus positive, par visualisation, par reconstruction de vos cellules. Cela se fait généralement tout seul, sauf qu'il faut le savoir. Nous vous avons dit des mots qui n'avaient jamais été dits, donc vous ignoriez auparavant que vous pouviez reprogrammer vos formes. Pas les organes malades ! Concentrez-vous sur un poumon malade, vous verrez, vous le rendrez encore plus malade. Personne ne peut guérir seulement en se concentrant sur la partie malade de la forme, parce que les autres parties se trouvent ainsi être oubliées. Rappelez-vous : pas une partie, mais l'ensemble. Si vous pensez comme cela, vous comprendrez très vite le fonctionnement de vos formes. Plus important encore, vous allez les laisser tranquilles une fois que vous les aurez programmées

pour qu'elles se guérissent. Occupez-vous
seulement de vos pensées. Cessez d'y penser.
Vous voulez un exemple ? Il y a des heures de
visites dans vos hôpitaux. Demandez aux
médecins ou aux infirmières à quel moment
les malades sont le plus malades. Réponse ?
Dès que les visites débutent ! Pourquoi ?
Parce qu'ils ont des raisons d'être malades et
ils s'en souviennent. Un malade sera au lit
pour recevoir la visite alors qu'il était dans le
corridor une heure auparavant. C'est la
même chose pour vos formes : vous les programmez de la même façon par des raison-
nements et, ce qui est plus important encore,
vous ne lâchez pas prise. Dites à un malade
qui souffre du foie que vous le plaignez, que
c'est très douloureux et rajoutez ce que vous
voulez pour le convaincre encore plus, vous
lui donnerez des raisons d'y penser. Plus il y
pensera, plus il se concentrera sur sa maladie
et plus il la fera progresser ou la maintiendra.
Par contre, dès que cette personne en aura
assez, qu'elle pensera à autre chose, à sa
famille ou à autre chose, elle guérira.
*(Harmonie, II, 08–12–1990)*

*L orsque vous parlez de travailler avec la pensée, vous voulez dire de travailler avec les cellules saines pour guérir les autres ?*

Cela a toujours été.

*Lorsque vous dites qu'après une opération, trois personnes sur cinq se trouvant à côté de quelqu'un qui a un cancer vont l'attraper, est-ce qu'une personne faisant un travail sur ses cellules saines peut y échapper ou est-ce irrévocable ?*

Mentionnez-vous une personne innocente de cela qui l'aurait attrapé de façon involontaire par contact de cellules ?

*Oui.*

Quelques instants que nous trouvions des cas où cela s'est produit... Nous avons trouvé quelques cas où les gens avaient subi des opérations et ne croyaient pas à la maladie comme telle. Ces gens ont fait en sorte d'émettre une énergie autour d'eux, tout à fait involontairement d'ailleurs, qui neutralisait très bien l'influence des cellules cancéreuses. Remarquez que les gens qui sont dans les hôpitaux à cause de maladies physiques incontournables et qui ne le souhaitaient pas, ne sont généralement pas prêts à recevoir la maladie puisqu'ils en sont éloignés et que cela ne fait pas partie de leur façon de penser. Dans un certain sens, ces gens sont plus équilibrés ; autrement dit, pour ces gens, les maladies ne s'attrapent pas entre les gens comme cela et, surtout, ils éloignent la maladie de leurs pensées. Donc, les vibrations de leurs cellules et le champ d'énergie de leurs formes sont modifiés, et ce, dès qu'ils reprennent conscience. De là l'importance d'avoir une pensée très forte puisque, souvenez-vous, les gens qui ont été anesthésiés ont un système immunitaire déficient pour au moins six de vos mois. *(Harmonie, II, 08–12–1990)*

## Est-ce que la réflexologie est un moyen pour nous aider ?

Un moyen de plus seulement. C'est un moyen qui peut vous aider si vous y croyez ; c'est une autre approche. C'est aussi à la base de vos naissances. C'est la première chose qui vous arrive en venant au monde : on vérifie vos réflexes. Il est donc normal que vos formes se reprogramment comme cela. Pour vous, c'est revenir à la source, réapprendre à la source. Vos cerveaux savent très bien que c'étaient les premiers mouvements de votre vie. Dans un sens, cela peut être utile. Vous savez, il pourrait y avoir abus dans cela comme dans d'autres choses. Prenez ce qui vous convient lorsque cela vous convient. Si cela vous force, ce n'est pas bon pour vous. Ce n'est qu'un moyen comme un autre. Un simple verre d'eau peut être aussi efficace. Tout dépendra de ce que vous visualiserez lorsque vous boirez et ce que vous croirez boire aussi.
*(Symphonie, II, 04–05–1991)*

*Dans une session, vous avez parlé de guérison. Tout à l'heure vous avez parlé de vie. Est-ce qu'on se dirige vers la guérison à distance ?*

Comment se fait-il, dans ce cas, qu'il y ait des gens qui sont constamment en bonne santé et d'autres qui sont constamment malades ? Votre question suppose que les gens malades peuvent se guérir eux-mêmes. Il y a une part de vérité dans cela. Mais, pour guérir, il faudrait que ces gens soient conscients du pourquoi de leur maladie, il faudrait qu'ils analysent leur vie jusqu'à ce qu'ils comprennent à quel point ils se sont emmerdés eux-mêmes — et ce terme n'est pas grossier, il est à peine réel ! Par ailleurs, il y a des gens qui ne sont pas malades. Ceux-là pourraient apporter la guérison aux autres, bien sûr, car leur énergie est plus élevée habituellement. Vous dites, en d'autres termes, qu'ils ont plus de force. Effectivement, ces gens peuvent rétablir vos propres énergies si vous êtes malades, mais il ne faut pas combattre par la suite, sinon vous revenez au point de départ. Nous vous le disons : il n'y aura plus de maladies dès que vous accepterez de bien vivre, dès que vous accepterez en premier vos réalités, dès que vous cesserez de vous battre pour ce que vous ne voyez même plus, dès que vous vous respecterez, dès que vous cesserez de subir et dès que vous cesserez de vous sentir responsables pour les autres. Cela implique plus que l'imposition des mains, sinon tout le monde pourrait s'imposer les mains. Regardez l'époque de Jésus. Ce n'était pas tous les individus qui s'adressaient à lui qui guérissaient, seulement ceux qui avaient confiance. Qui donc avait cette confiance ? Ceux qui voulaient s'en sortir. Et cela n'a pas changé aujourd'hui. Pourquoi certaines statues guérissent-elles ? Elles n'imposent pas les mains, elles n'ont aucune radiation et n'irradient aucune foi non plus. Ne serait-ce pas que les plus grands médecins du monde sont déjà entre vos deux oreilles ? Ils ne sont certainement pas dans des cliniques, parce que les médecins qui sont dans les cliniques ne tenteront même pas de vous convaincre de l'existence du médecin entre vos deux oreilles. Pensez bien à ceci la prochaine fois : si les statues peuvent guérir, vos murs peuvent le faire. Donc, vous pouvez aussi le faire vous-mêmes. Il suffit d'y croire. Trouvez l'enfant que vous aimez le plus, l'être humain que vous aimez le plus, et prenez tout l'amour auquel vous avez droit. Accordez-vous donc d'être aimés. Vous verrez que la maladie disparaît vite dans ce temps-là. *(Renaissance, III, 09–11–1991)*

*Quelqu'un qui fait de la guérison peut-il avoir ou recevoir des marques sur sa personne ?*

Tout dépendra de la croyance de cette forme, de ce qu'elle voudra vivre, de ce que cela représentera pour elle. Si, selon ses croyances, il faut des signes évidents pour guérir une autre personne, sa forme lui en donnera, mais ce n'est pas une obligation. Cette forme devant vous [Robert] accepterait encore moins de guérir si nous devions faire en sorte que ses mains saignent à chaque fois ! En d'autres termes, cette forme [Robert] n'a pas besoin de clous. Donc, les marques de reconnaissance sont pour qui ? Pour que les autres admettent ? Une personne qui guérit avec foi et amour ne pense pas aux suites ; elle pense seulement à retransmettre cette forme d'amour et de partage, puisque la guérison est du partage de soi. Si pour se convaincre et convaincre les autres une personne a besoin de signes, les marques sont possibles. *(L'envol, I, 07–03–1992)*

*Est-ce qu'on peut se sortir sans séquelles d'un accident alors que les médecins disent qu'il faut apprendre à vivre avec son mal ?*

Il y a des douleurs physiques qui sont parfois permanentes, mais c'est vous qui les ressentez, pas les médecins. Les médecins s'appuient sur des statistiques, sur le nombre de personnes blessées de la même façon et

qui peuvent leur dire ce qu'ils ressentent.
Actuellement, vos technologies vous
apprennent que la douleur est un signal
avant-coureur ou un signal d'entretien de la
maladie qu'émet la forme selon un problème donné, ou connu, ou à découvrir.
Pour répondre à votre question, une
douleur peut apparaître à la suite d'une
blessure profonde, mais s'il vous est appris
que vous devez vivre avec la douleur, vous
la vivrez, parce que vous donnerez à votre
forme l'instruction d'entretenir la douleur
afin de vous le confirmer [que vous devez
vivre avec la douleur]. Mais pourquoi une
forme vous rappelle-t-elle à l'ordre comme
cela ? Tout simplement pour que vous ne
vous blessiez pas de nouveau au même
endroit, pour que vous sachiez que cet
endroit de votre forme sera plus sensible
qu'un autre à l'avenir, et cela préviendra vos
mouvements. Sachant cela, si vous
habituez votre forme à agir avec prudence,
vous ne serez pas obligés d'entretenir la
douleur et vous pourrez passer outre. Dans
votre cas, il y a des appareils pouvant vous

enlever cette douleur assez rapidement ; vous appelez cela un TENS (Transcutaneous Electrical Nerve Stimulator). Bien appliqué, il pourrait enlever plus de 90 % de la douleur et aider aussi à la guérison complète. Nous savons que plusieurs médecins n'apprécient pas ces instruments et pour une raison fort simple : quand vous n'avez plus de douleur, vous n'avez plus besoin d'eux. Dans votre cas en particulier, ce serait très utile. Votre question pourrait être aussi : est-ce que des gens peuvent vivre dans le malheur toute leur vie et que ce soit un but ? Non, mais vous pouvez choisir de le vivre ainsi. Notre but est justement de vous montrer le contraire, de vous apprendre à ne plus être constamment en réaction et à vivre réellement la vie pour ce qu'elle est vraiment. Regardez les personnes âgées : toutes vont vous dire que la vie passe donc rapidement ! À 20 ans, elles disaient : « Les autres sont âgés, mais j'ai toute la vie et c'est long. » Tout dépendra vers quoi sera axée votre vie. Pour certains, 80 ans, c'est très jeune ; pour d'autres, c'est

très âgé.  C'est dès maintenant que vous
devez vous préparer, pas à 70 ans, ce sera
trop tard.  Vous avez actuellement une sai-
son que vous appelez le printemps.  Avez-
vous remarqué qu'au bout de chaque
branche d'arbre les repousses sont aussi
nouvelles qu'au tout début, même chez les
arbres centenaires ?  Comment se fait-il que
dans vos formes vous acceptiez de vieillir
comme vous le faites ?  Ce n'est pas une
norme.  Si un arbre peut le faire, imaginez
vos formes.  Donc, la douleur n'est pas une
chose normale, mais tout dépendra de ce
qu'elle cachera et de ce que vous en ferez.
*(L'envol, III, 09–05–1992)*

*On sait que, dans certains cas de
cancer ou de maladies dégénéra-
tives, certaines personnes arrivent à se
guérir.  Est-ce qu'une personne qui a le sida
peut se guérir ?*

Oui, même chose.  Il n'y a aucune maladie
dont vos formes ne puissent se débarrasser.
En d'autres termes, ce que vous créez, vous

pouvez le détruire aussi. Si vous avez la
même force pour détruire ce que vous avez
créé, cela ne traînera pas. Ceux qui sont
malades font bien souvent l'erreur de se
concentrer sur les moyens d'arrêter la maladie plutôt que sur la cause, et cela empire
habituellement, et rapidement. Voilà l'avan-
tage d'être soi-même à 100 %.

*Est-ce qu'il y a des moyens plus spécifiques*
*pour que ces personnes-là guérissent ?*

Que ces personnes se prennent en main.
Rappelez-vous ce que nous avons dit un
peu plus tôt au sujet de la foi, de la confiance. Si vous apprenez à écouter une personne qui vous dit : « Oh ! madame, dans
six mois pas plus, vous serez morte car tous
ceux qui ont cette maladie meurent en six
mois », combien de chances vous donnez-
vous de guérir ? Aucune ! C'est tout le système actuel qui a besoin d'être révisé. Tous
ces gens défaitistes qui soignent et qui n'ont
même pas confiance en ce qu'ils font... La
plupart de vos médecins vont vous dire :

« Si cela ne va pas mieux, revenez me voir. »
Quelle confiance en soi ils ont ! « Si ces
pilules ne vous font rien, rappelez-moi. »
Quelle confiance ! Et vous leur faites confiance... Tant que cela fonctionnera ainsi,
plus vous chercherez et moins vous trouverez. Les réponses sont en vous. Soyez
honnêtes avec vous-mêmes ; la première
personne à respecter, c'est vous. Demandez
aux gens qui ont des cancers de revenir ne
serait-ce que sur les trois dernières années
avant leur maladie – ce qui est le délai
habituel – et demandez-leur quelles restric-
tions ils se sont imposées ; demandez-leur
ce qu'ils auraient dû faire et aussi ce qu'ils
pourraient changer qui les rendrait heureux.
Vous verrez comme ils seront loquaces.
Mais vous n'écoutez pas. Vous croyez que
quelqu'un d'autre peut vous enlever la maladie. Relisez les textes des sessions précé-
dentes. Combien de fois n'y avons-nous pas
mentionné l'intelligence de vos formes ! Il
n'y a pas une seule de vos cellules, pas un
atome de vos formes qui ne sache ce qu'il a
à faire pour que vous viviez. C'est pourtant

très clair. Barrez-leur la route par des pensées, tentez de les reprogrammer autrement
et vous subirez la maladie. Apprenez ce que
sont les maladies... très bien ! vous saurez
comment vous les donner. Vous apprenez
à calculer avec des chiffres, vous apprenez à
parler avec des mots, vous apprenez à
marcher en étant supportés. Tout ce que
vous apprenez, vous le faites. Si on vous
apprend la maladie, que ferez-vous ? Vous
attendrez une occasion et vous choisirez
une maladie. Une preuve ? Il suffit qu'une
personne sorte sans bien se couvrir par
temps froid et qu'une autre lui dise : « Ne
fais pas cela, tu vas attraper la grippe »,
pour qu'elle l'ait. Comme elle sait ce que
c'est, faites-le-lui penser et elle l'aura parce
que cela aura du sens. Si vous deviez
écouter tout le monde pour vos bobos,
comme vous dites, vous seriez constamment dans la douleur. Si vous avez des
crampes et qu'une personne vous dit que
c'est le cancer d'intestin, si elle vous con-
vainc, il n'est pas nécessaire que vous l'ayez
mais vous aurez au moins peur. Si c'était,

vous l'auriez. Tout dépendra de l'information que vous aurez eue. Vous fonctionnez ainsi. Apprenez plutôt comment vos formes fonctionnent, comment elles raisonnent, comment elles réagissent et vous n'aurez pas cette maladie. Nous vous montrerons tout cela plus tard. Il faut au moins, au début, que vous admettiez ce fait. Si vous ne l'admettez pas, vous aurez ce que vous aurez demandé et vous réagirez. Et ce ne sont pas des vies de réactions que nous vous souhaitons mais des vies de choix, des vies où vous pourrez vous-mêmes composer votre menu quotidien pour ne pas laisser les autres manger votre vie. Vous n'êtes pas heureux ? C'est vous qui allez changer cela. Si vous comptez sur quelqu'un d'autre, rien ne se fera. Vous aurez de beaux rêves mais les rêves ne sont pas toujours réalité. Un rêve cesse d'être un rêve lorsque vous passez à l'action, lorsque vous choisissez, lorsque vous dites : « J'en ai assez ! » Ceux qui disent qu'ils en ont assez mais ne font rien connaîtront la maladie, ils connaîtront des gens qui dirigeront leur vie à leur place, si bien que leurs formes subiront non pas seulement ce qu'elles devront subir mais ce que la société entière leur fera subir.  Vous vous serez habitués à subir et vous deviendrez intolérants face à vous-mêmes et face à la société.  Vous avez tout, pas une banque ne possède les richesses que vous avez.  Vous avez tout ce qu'il faut pour créer, tout ce qu'il faut pour obtenir.  Qu'attendez-vous ?  *(L'envol, III, 09–05–1992)*

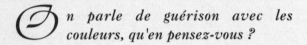 *n parle de guérison avec les couleurs, qu'en pensez-vous ?*

La guérison peut être faite effectivement, mais non pas seulement en suggérant des couleurs aux personnes à guérir ou en les exposant à des couleurs.  Vous aurez beau enfermer une personne souffrant de cancer dans une pièce toute rose, cela ne la guérira pas.  Cependant, si vous associez ses sentiments les plus refoulés à des couleurs et si elle veut participer, ce sera fort différent.  Il y aura changement chez elle car le cancer, lorsqu'il n'est pas acquis génétiquement, est aussi associé et rattaché aux pensées néga-tives, dans la majorité des cas. Lorsque la signification des couleurs est bien comprise, lorsque ces personnes sont suffisamment ouvertes pour communiquer, elles sont ouvertes aussi pour apprendre et leur forme est ouverte à cela. Mais vous ne pouvez rien imposer, vous ne pouvez que suggérer. Vos méthodes actuelles pour soigner à l'aide des couleurs contiennent plusieurs foutaises. La seule personne qui peut se soigner de façon volontaire, c'est vous-même. Vous pouvez être soigné chimiquement, cela semble être le cas de la majorité, mais vous vous rendrez compte que, même s'il y a rémission, un autre problème surgira tôt ou tard si la cause n'a pas été soignée : soit qu'il y ait d'autres rebondissements dans la maladie ou que la maladie soit finale. Donc, donner une charte de couleurs pour chaque maladie n'est pas chose faisable, ni même possible. Par contre, si vous voulez soigner les gens avec les couleurs, montrez-leur cette méthode, aidez-les à bien la comprendre, à bien l'assimiler.

Lorsque vous apprenez à marcher à un enfant, vous le soutenez jusqu'à ce qu'il fasse ses premiers pas. S'il tombe et qu'il pleure, vous riez ; vous ne pleurez pas. C'est la même chose lorsque vous apprenez la méthode des couleurs : vous pouvez tomber, être découragés et vous dire : « Cette méthode n'est pas pour moi ; hier, c'était le jaune qui me donnait l'amour et aujourd'hui je suis certain que c'est le vert. » Si à ce moment-là c'était le jaune qui était associé à l'amour, c'est que c'était le jaune, et si vous voulez retrouver cette sensation, imaginez le jaune et éliminez les autres couleurs, sinon vous serez confus. C'est comme pour l'enfant qui commence à marcher ; il s'accroche à tout ce qu'il y a autour de lui pour pouvoir se tenir debout. Soyez convaincus de vos forces, de vos couleurs à vous. Lorsque vous vous serez aidés de cette manière, vous pourrez aider les autres, car cela se communique. Mais, encore une fois, n'oubliez pas que vous pouvez soutenir les autres dans leur compréhension sans adopter leur méthode.

*Dans le même ordre d'idée, on dit que les organes ont des couleurs. Par exemple, on dit que pour les reins, c'est le vert, etc. Est-ce vrai ?*

C'est un fait, mais sans plus. Vous voudriez...

*Est-ce qu'on peut, en visualisant la couleur des organes, leur donner de l'énergie ou est-ce simplement dans la pensée ?*

Combien de personnes ici savaient cela ? Vous voudriez nous faire croire que, si vous dites à toutes les personnes ici présentes que les reins sont verts, leurs reins auront de l'énergie s'ils visualisent le vert ? Pourquoi ne pas savoir que vos reins existent et les visualiser en bon état ? Nous allons vous expliquer cela d'une autre façon. Prenons ce que vous appelez le coeur, que vous associez au rouge. Si le rouge signifie l'amour et que vous faites ce que vous appelez un arrêt cardiaque, ce ne sera sûrement pas la couleur rouge qui vous réanimera, ni vos verts et rouges. Alors, ne tentez pas d'associer des couleurs à tout. Comment feriez-vous si pour certains le rouge signifie l'amour, alors que pour d'autres il signifie l'agressivité, et pour d'autres encore, tout simplement le fait d'être à l'aise parce qu'ils se sentent bien avec cette couleur ? Cela voudrait-il dire que, si le rouge symbolise l'agressivité pour vous, vous ne pourrez pas aider les autres ? Il est important que vous maîtrisiez tout cela. Si votre façon de penser est bien ajustée et bien dirigée à l'intérieur, si vous faites abstraction de tous les tabous et anciennes croyances, si vous vivez dans l'instant pour vous-même et que vos pensées sont justes, le vert ou le bleu que vous associez à vos reins ne sera pas si important que cela. Vous aurez d'ailleurs du mal à imaginer chacun de vos organes ou chacune de vos glandes jouant des rôles importants et à les associer à une couleur. De toute façon, ce serait beaucoup trop jouer avec votre imagination puisque vous ne les avez pas vu vous-mêmes de près. Certaines Cellules nous font remarquer que certains organes, lorsqu'ils sont en mauvaise condition, n'ont pas les couleurs mentionnées et sont fort différents. Si ces organes sont en mauvais état, c'est qu'il y a une cause et, s'il y a une cause, ce n'est pas une visualisation mais une compréhension de la cause qui réglera le problème. *(Les chercheurs de vérité, IV, 21-04-1990)*

Une autre chose que nous aimerions que vous compreniez : peu importe ce que seront vos pensées, même si elles sont négatives, il y a une chose que vous ne pourrez jamais nous empêcher de faire, celle de vous aimer comme nous aimerions aussi que vous vous aimiez. Nous tenterons cela tout de même.

*Oasis*